# 故宮·國寶

主編 朱家溍

商務印書館

# 中國歷史年表

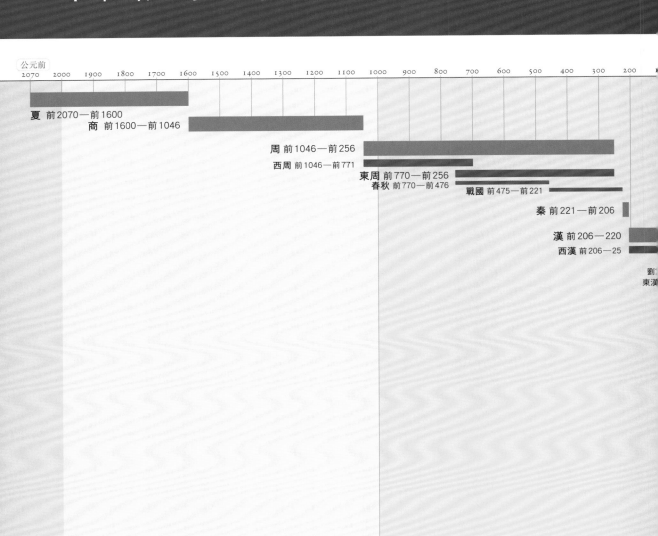

夏 前 2070—前 1600

商 前 1600—前 1046

周 前 1046—前 256

西周 前 1046—前 771

東周 前 770—前 256

春秋 前 770—前 476

戰國 前 475—前 221

秦 前 221—前 206

漢 前 206—220

西漢 前 206—25

劉

東漢

① 遼建國於 907 年，國號契丹，938 年（一說 947 年）改國號為遼，983 年
　復稱契丹，1066 年仍稱遼。

② 蒙古孛兒只斤‧鐵木真於 1206 年建國。1271 年忽必烈定國號為元。

③ 清建國於 1616 年，初稱後金，1636 年始改國號為清。

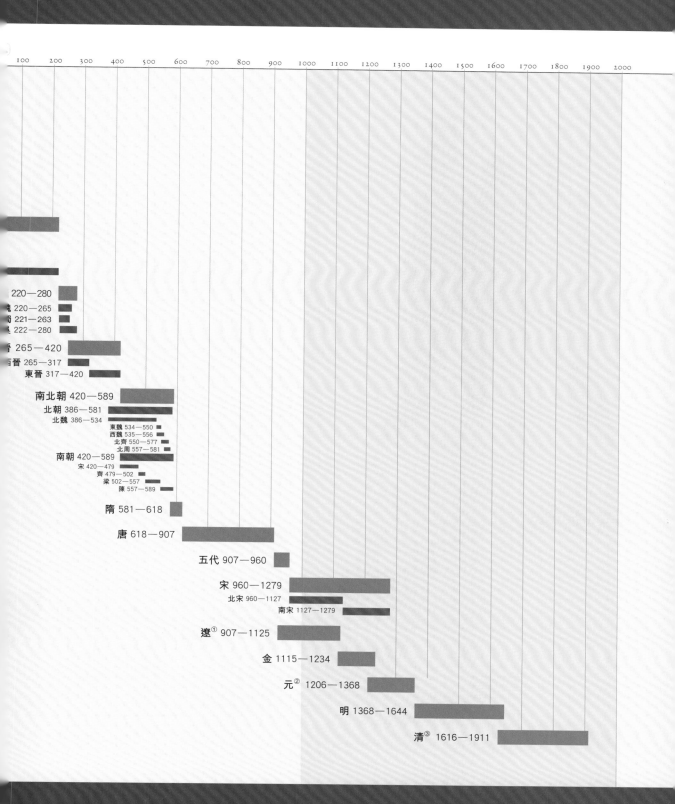

| | | | | | | | | | | | | | | | | | | | |
|---|---|---|---|---|---|---|---|---|---|---|---|---|---|---|---|---|---|---|---|
| 100 | 200 | 300 | 400 | 500 | 600 | 700 | 800 | 900 | 1000 | 1100 | 1200 | 1300 | 1400 | 1500 | 1600 | 1700 | 1800 | 1900 | 2000 |

220—280
魏 220—265
蜀 221—263
吳 222—280

晉 265—420
西晉 265—317
東晉 317—420

南北朝 420—589
北朝 386—581
北魏 386—534
東魏 534—550
西魏 535—556
北齊 550—577
北周 557—581
南朝 420—589
宋 420—479
齊 479—502
梁 502—557
陳 557—589

隋 581—618

唐 618—907

五代 907—960

宋 960—1279
北宋 960—1127
南宋 1127—1279

遼① 907—1125

金 1115—1234

元② 1206—1368

明 1368—1644

清③ 1616—1911

# 目錄

導言
VI

陶瓷
185

青銅器
001

書畫
026

# 工藝美術
222

# 織繡
270

名詞索引　　300

後記　　316

出版説明　　318

# 導言

　　故宮，原是明、清兩代的皇宮。宮殿建築本身，就是文化藝術史上的重要遺物。

　　1911 年的辛亥革命推翻了清王朝。1914 年在明、清故宮的前部成立了古物陳列所，後部宮殿仍由清遜帝溥儀居住。1924 年溥儀出宮後，成立了清室善後委員會。1925 年 10 月，後部成立故宮博物院。抗日戰爭勝利後，古物陳列所撤消，併入故宮博物院，開放至今。

　　故宮博物院現藏文物九十萬餘件 *，大多數為明、清兩代宮中遺留的歷代藝術品，少數為近年來徵集到的。這些藝術品有歷代名畫、法書、碑帖、青銅器、陶瓷、織繡及其他工藝美術品。這部書中的國寶就是從故宮博物院現藏珍品中選出的，共一百件。

　　中國歷代皇宮內都收藏有許多珍貴文物。《宣和書譜》《宣和畫譜》《宣和博古圖》是記載宋朝宣和內府收藏的書、畫、鼎、彝等珍品的目錄。《西清古鑑》《西清續鑑》《寧壽鑑古》《石渠寶笈》（初、重、三編），《秘殿珠林》（初、二、三編），《天祿琳琅》和《四庫全書總目》等是清乾隆、嘉慶時期由翰林官們編輯的宮中所藏古銅器、字畫、圖書的目錄。見於著錄中的很多古代文物早已散失，現在只能從文獻中見到名稱而已，但也有不少寶物幾經聚散，歷盡滄桑，保存到今天。

**宣和書譜、宣和畫譜**
《宣和書譜》成書於北宋宣和二年（1120），是由官方主持編撰的宮廷所藏歷代書法作品的目錄，包括 197 人的 1344 件作品。《宣和畫譜》是北宋宣和二年由官方主持編撰的宮廷所藏繪畫作品的著錄著作，包括 231 人的 6396 件作品。

**宣和博古圖**
宋代王黼編纂，宋徽宗敕撰。書中著錄皇家收藏的自商代至唐代的青銅器 839 件。

**西清古鑑**

著錄清代宮廷所藏古代青銅器的大型譜錄。收商周至唐代銅器 1529 件。梁詩正等奉敕纂修，乾隆二十年（1755）完成。

**西清續鑑甲編、乙編**

乾隆五十八年（1793）王傑等奉敕編成，甲編收錄清宮藏商周至唐代銅器 944 件，及唐宋以後銅器、璽印等 31 件，總計 975 件。乙編收錄盛京（今瀋陽）清宮藏商周至唐代銅器 900 件。

**寧壽鑑古**

梁詩正等奉敕編纂，成書於乾隆四十四年（1779）。著錄寧壽宮藏商周至唐代銅器 701 件。

**石渠寶笈**

清代乾隆、嘉慶年間編纂的大型書畫著錄文獻，初編成書於乾隆十年（1745），重編成書於乾隆五十六年（1791），三編成書於嘉慶二十年（1815）。著錄了清廷內府所藏歷代書畫。

**秘殿珠林**

著錄清內府有關佛教、道教之書畫藏品。

**天祿琳琅**

清代皇家藏書樓。藏有清乾隆帝的藏書精華，包括現仍存世的清廷所藏善本珍籍。

**四庫全書總目**

又名《四庫全書總目提要》，清代紀昀總纂。著錄圖書 3461 種，存目 6793 部，基本上包括了清乾隆以前中國重要的古籍，特別是元代以前的書籍。

廟。經過五代的兵亂，十鼓失散。到了宋朝，司馬池在鳳翔做官時，收集到九鼓，安置在府學。皇祐四年（1052）十鼓才收齊。大觀二年（1108），被移到當時的京都開封。皇帝命以黃金填嵌石鼓的文字，先陳設在太學的辟雍，後來移到保和殿。金人破開封，把石鼓運到北方，安置在大興府學（大興即現在的北京）。元皇慶年間（1312—1313），移到文廟戟門內。明、清兩朝相繼把石鼓陳列於國子監、文廟大成門內。辛亥革命後仍在原處陳列，任人參觀。抗日戰爭時期，北京的部分古物南遷，石鼓也隨之運到南京，後經武漢運到四川。抗戰勝利後，又經原路運回北京故宮博物院，保存至今。

又如晉王珣的《伯遠帖》，曾載於《宣和書譜》，清朝又載於《石渠寶笈》；隋展子虔的《遊春圖》、唐韓滉的《五牛圖》、五代顧閎中的《韓熙載夜宴圖》等名畫，也都曾載在《宣和畫譜》中，到清朝又載在《石

**府學**

古代官學的一種。「府」是古代的一級政區。

例如石鼓，原來發現於陳倉的野地，共十鼓。唐朝韓愈為博士的時候，曾請求把石鼓移到太學，沒有得到允許。後來鄭餘慶把石鼓遷到鳳翔孔子

渠寶笈》中。這類法書名畫，從宋宣和內府失散出來，有些由私家收藏，有些曾經元、明內府徵集收藏。明隆慶年間（1567—1572），內府所藏唐、宋書畫有一部分作價歸成國公朱希忠、朱希孝兄弟所有。朱希忠於萬曆元年（1573）死後，他所收藏的最精品歸張居正所有。萬曆十年（1582）張居正死後，家被抄，這部分書

安歧《墨緣彙觀》

**安歧**

（1683—1745），字儀周，清代書畫鑑藏家。所藏甚富，如顧愷之《女史箴圖》、展子虔《遊春圖》，及李思訓、李成、范寬、董源、王獻之作品等。後來家道中落，所藏精品大部分入清乾隆內府，其餘部分散落在江南者，多已不存於世。編纂《墨緣彙觀》，著錄其所藏書畫。

畫又收回到宮中。又如本書所載的宋張擇端《清明上河圖》，曾經很多人收藏，明嘉靖時為權相嚴嵩所得。嚴嵩父子獲罪被抄家，很多法書名畫又都收入宮中，《清明上河圖》也是其中之一，但不久被太監馮保竊為己有。清乾隆時整理宮中舊藏的文物，有不少是明朝遺留下來的。乾隆酷

**國子監**
中國古代最高學府和教育管理機構。始於西晉，廢於清末。

愛古代書畫及器物，注意收集。如大收藏家安儀周、梁清標、高士奇、畢沅等收藏的法書名畫，通過多方面渠道，後來都被收集到皇宮裏。《石渠寶笈》《秘殿珠林》所載浩如煙海的書畫就是這樣被收集起來的。

乾隆、嘉慶以後，宮中不甚重視古書畫，但仍繼續收藏。咸豐十年（1860）及光緒二十六年（1900）外國軍隊兩次入侵北京，圓明、清漪等園囿裏珍貴的文物不少遭到掠奪破壞。從辛亥革命後到1924年溥儀出宮前十三年間，宮中

梁清標收藏的《上陽台帖》

**梁清標**（1620—1691），清初大臣，藏書家，有「收藏古書畫甲天下」之譽。

**畢沅**（1730—1797），清學者，收藏家，曾官至湖廣總督。編纂《續資治通鑑》。

畢沅書法

**故宮已佚書籍書畫目錄**

原稿計有四種：一、《賞溥傑書畫目》；二、《溥傑收到書畫書籍目》；三、《諸位大人借去書畫玩物等糙賬》；四、《外借字畫浮記薄》。1934年故宮博物院印行。

珍貴文物又散失不少。故宮博物院成立後，曾根據《石渠寶笈》核對尚存的書畫，編印過一本《故宮已佚書籍書畫目錄》。1949年以後，故宮博物院按照這本目錄大力收購，多方徵集，已佚書畫絕大部分陸續收回，包括本書所刊載的晉、隋、唐、宋的法書名畫在內，其中《中秋帖》《伯遠帖》《五牛圖》等還是從香港重金購回的。

　　除了上述幾經聚散，失而復得，終歸保存在故宮的珍貴文物外，未經顛沛流離，一直安穩地收藏在宮中的法書名畫仍佔大多數。至於傢具陳設器物等屬於工藝美術領域的珍貴文物，始終未離開故宮的就更不勝數了。有的器物，從製成進呈以後就再沒有移動過。如本書所刊載的「大禹治水玉山」，於乾隆五十二年（1787）八月安設在寧壽宮樂壽堂以後，到今天一直沒有挪動過位置。故宮藏玉除傳世古玉以外，現存清代的玉器也都是製成進呈以後一直保存在宮中，有的還是養心殿造辦處「玉作」製成的。本書刊載的瓷胎「琺瑯彩雉雞牡丹紋碗」「畫琺瑯花鳥瓶」「象牙雕漁樂圖筆筒」「百寶嵌花卉漆掛屏」，由造辦處「琺瑯作」「牙作」「雜活作」製成，向皇帝進呈以後，也都一直貯藏在宮中，這類工藝品的數量是相當多的。瓷器，由江西景德鎮燒造瓷器處歷年進呈而遺留在宮中的就有十餘萬件。本書所載康熙、雍正、乾隆三朝的瓷器，就是從中選擇的。宮中還藏有江寧、蘇州、杭州三織造歷年進呈的大量錦、緞、綾、羅、紗、綢、縐等整匹織品和緙絲、刺繡的衣物，以及由養心殿造辦處設計，交「織造」特製的作品。本書選載的彩織重綿《石青地極樂世界織成錦圖》軸、「孔雀羽穿珠

彩繡雲龍吉服袍」、《緙絲加繡九陽消寒圖》軸，就是從中選擇的。

書中載明代宮中遺留的工藝美術品，有永樂、成化、萬曆年款的瓷器；宣德、景泰年款的銅掐絲琺瑯器；萬曆年款的黑漆嵌螺鈿大書案等。這些器物都是製成以後供使用的，經歷明、清兩代一直貯藏在宮中。

本書內容分屬青銅器、書畫、陶瓷、工藝美術品和織繡五類。每類每件各有解說。所選文物總數雖只百件，但自商、周以迄明、清，顯示着中國文化藝術的發展過程和成就。

朱家溍
1983 年識於北京故宮博物院

故宮珍寶館

＊據最新統計，故宮博物院館藏文物總計 180 餘萬件（套），其中一級品 8000 餘件（套）。

# 青銅器

001　乳釘三耳簋　006

002　醜亞方尊　008

003　醜亞方罍　010

Q04　四象觚（象紋觚）012

005　九象尊（友尊）012

006　冊方斝　014

007　菫臨簋　016

008　虎戟鎛　018

009　師趛鬲　020

010　螭樑盉　022

# 青銅器

中國青銅器向以造型優美、紋飾華麗、製造精巧著稱，並以其獨特的藝術形式在世界藝術史上佔有極重要的地位。

青銅器種類繁多。所謂青銅器，廣義來說，是指所有用青銅製造的器具，除禮、樂器外，還有兵器、工具、車馬器及其他生活用品；狹義地說，也是一般的說法，只稱禮、樂器兩項而已。

本書所選的十件銅器中，鬲、簋是食器；尊、罍、斝、觚、盉是酒器；鎛是樂器。

中華民族的祖先很早就發現了銅，至遲是在新石器時代晚期就已開始使用青銅製品。

青銅製品和其他製品一樣，先出現的是一些小件工具和其他器物。1977 年在甘肅馬家窯文化東鄉林家遺址中，出土了中國最早的一件青銅製品——青銅刀（前 3000）。1972 年在河南省偃師縣二里頭文化遺址中，又發掘出大批的工具、兵器、裝飾品和四件青銅爵。這幾件青銅爵是目前所能見到的中國最早的一批使用合範鑄造的完整青銅容器。

青銅器中的禮器、樂器主要是在各種祭祀和宴饗的禮儀場合下使用的。各級貴族必須使用和他們的地位相當的禮器和樂器，不能僭越，否則就是非禮。所謂「禮」，主要體現在許多具體的儀禮和典章制度中，而「禮」的一個重要組成部分是祭祀。當時的貴族都篤信天命，崇敬祖先，在祭祀祖先的活動中，禮樂的規模是極為龐大的，要殺殉奴隸和多種牲畜，所以禮器中的很大一部分是祭器。1975 年在河南省安陽市婦好墓出土的

**仰韶文化、馬家窯文化**

仰韶文化是黃河中游地區的新石器時代文化，以彩陶著稱，因 1921 年發現於河南澠池仰韶村而得名。距今約 7000—5000 年。

馬家窯文化是黃河上游地區的新石器時代文化，因 1924 年發現甘肅臨洮馬家窯遺址而得名。是仰韶文化晚期的分支文化。最早可上溯至公元前 3980 年，整體活躍發展於公元前 3300—前 2050 年之間。

**二里頭文化**

中國青銅時代的早期考古學文化，因河南偃師二里頭遺址而得名。主要分佈於以河南西部為中心的黃河中游地區，距今約 3800—3500 年。二里頭文化是探索夏文化的重要對象，二里頭遺址也被認為是夏王朝晚期都城。

二里頭出土的青銅器

四百餘件銅器中，竟有二百一十件是祭器。

　　青銅器的造型，反映了匠師們具有極高的藝術造詣。商中期至西周早期的風格，端莊、厚重，代表着中華民族的氣質。模仿鳥、獸等動物形態的器物和高浮雕的紋飾，更是生動活潑。周中期以後的器物，偏重於實用，比較樸素。春秋以後又出現了一些玲瓏剔透、體態優美的銅器。

　　青銅器的花紋裝飾，在商、周兩代，不僅保留和發展了新石器時代彩陶上用得較多的幾何紋，而且出現了以誇張形式或以幻想中的動物頭部為主體的獸面紋、龍鳳紋。又能將很多上古時代的神話傳說融進花紋圖案中。到了春秋和戰國時期，風尚精細繁縟的構圖，

一改商、周以來對稱、規整的風格。這時也出現了反映社會現實的圖像內容，如宴樂、攻戰、狩獵等，開漢代畫像石（磚）之先聲，對後代繪畫藝術的發展也產生了極大的影響。

　　銅器花紋裝飾中，還有一種形式是鑲嵌工藝。早在二里頭文化中就出土過鑲嵌綠松石的器物。但早期的鑲嵌不外乎紅銅及綠松石之類。隨着採礦、熔煉、鑄造技術的發展，在器物上鑲嵌其他金屬以增加其價值的情形愈來愈多，尤其是把金銀絲鑲嵌於銅器上，使紋飾益發光彩奪目，絢麗多姿。

　　中國青銅器還有一個突出特點是很多銅器上鑄有銘文。這些銘文字數或多或少，形態各異。銘文的出現始於商晚期，代表了氏族的徽

號或圖騰，字數較少，主要是為了識別，近似於圖形的文字居多。至商末才開始出現多達四五十字的較長銘文，而且內容日益豐富。有的是為自己或祖先歌功頌德，有的是記載當時的重大事件，有的是記載土地交換的情況、訴訟的結果，有的是反映帝王諸侯對臣屬的冊命和賞賜等，為研究中國古代社會、文化、典章制度等提供了可靠的實物證據，以補充古文獻史料的不足。春秋以後，隨着社會的變革和生產的發展，文化比以前普及了。文字的記載轉移到石片、竹（木）簡、絲織品上，銅器銘文也就逐漸失去記載歷史的主要功用，而日趨簡化。

**婦好墓**

婦好是 3000 多年前商王武丁的王后。她是中國歷史上有據可查（甲骨文）的第一位女性軍事統帥，同時也是一位女政治家。1976 年在河南安陽小屯西北發現婦好的完整墓葬。，出土青銅器、玉器等文物近兩千件。

　　中國青銅器不僅有着極為珍貴的歷史價值，而且每一件器物都是出色的藝術品。早在三千多年前的能工巧匠，就已熟悉並能靈活地運用藝術造型的技巧，創造出眾多的工藝美術傑作。這等器物，對稱平衡，節奏明快，質感強，體態飽滿，玲瓏精巧，紋飾與造型和諧一致，各方面的配合達到高度的統一，給人以美的享受。以醜亞方尊和師趛鬲為例。方尊是一件祭祀重器，口徑較大，但在頸部用大弧度內收，腹部外鼓，顯得格外豐滿；下部採用高方圈足，給人以穩重的感覺；器身運用了八條扉棱，上至口沿，使人聯想到中國古建築上的飛檐斗拱，很有氣魄，益發加重了莊嚴肅穆的感受。師趛鬲也是祭祀重器，卻運用與方尊迥然不同的處理方法，在器物上使用了三點成面的原理，以三個巨大款足（對於袋形腹足的習慣稱謂）支撐豐滿的器身。還配有兩足對稱的附耳，既實用又增加了美感。紋飾與造型配

醜亞方尊

合，達到和諧統一的效果。如袋形腹紋用凸起的獸紋，更顯得飽滿，而內收的短頸則採用橫向拉長的目形紋，使人既感覺到頸部的存在，又不會喧賓奪主，整體上仍然使人感到肅穆莊嚴，合乎祭祀重器的身份。

　　中國青銅器，不僅歷史悠久、風格獨特，而且具有鮮明的時代特色，展現了中國自商至春秋戰國時期高度發展的文化藝術水平。

師趛鬲

# 乳釘三耳簋

**001**

商（前 1600 — 前 1046）

通高 19.1 釐米，圈足高 7 釐米，口徑 30.5 釐米
足徑 25 釐米，腹深 13 釐米
重 6.94 千克

器名簋（音軌），是一種盛食器，是盛裝黍、稷、稻、梁等食物的用具，相當於現在的「飯碗」。

簋之制來源於陶器。陶簋原無耳，早期的銅簋也和陶簋一樣是無耳的。後來，由於用銅造的簋比較重，比較大，就加上了耳，實際就是把手，方便取用。古人宴饗時是席地

這件銅簋，侈口，深腹，高圈足。以回形紋為地，主紋採用斜方格乳釘紋及獸面紋、目形紋，這些都基本上保持了商代無耳簋的造型與紋飾特徵。所不同者是製造者裝飾了三個獸形耳，把口沿下及圈足上的紋飾分隔為三組相同的畫面，是這件簋的突出特點。回形紋，是一種出現較早的幾何紋飾，以連續回轉的線條構成，舊稱雲紋（圓形）、雷紋（方形），或統稱雲雷紋。有時單獨使用在器物的頸部和足部，自商代晚期開始用作青銅器主體紋飾的地紋。目形紋，中間為一目形，左右有延長的尾，或許是以後出現的竊曲紋的原始形態。乳釘紋，以乳狀凸起為紋飾。乳釘位於斜方格的中心，周圍填滿回形紋，稱為斜方格乳釘紋。

有耳簋出現在商晚期，大多無垂珥（即耳下部墜形飾）。垂珥簋大約出現於商末周初，而盛行於周以後，所以本器的時代上限應為商末。由於斜方格乳釘紋裝飾是商器的一種主要紋飾，至周代已較少見，故把這件簋定為商器比較適宜。

自有耳簋問世以來，雙耳簋最多，也最常見。呈「十」字型對稱佈局的四耳簋也時有發現，唯有三耳簋極為罕見。

而坐的，簋放在席上，用手在簋裏取食物，至今還有些少數民族保留着這種生活習慣，所以簋就需要造得大些。以後又出現了三耳簋、四耳簋、方座簋等多種形式。這時的耳當然不僅是起把手作用了，還包含有造型裝飾的意義。

古代的貴族，在祭祀或宴饗時，往往準備多種飯食，需要同時使用幾隻簋，所以古文獻中記載用簋的情況，少則兩只，多則十二隻，一般都是成雙數的，如四隻、六隻、八隻等。

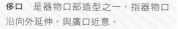

**侈口** 是器物口部造型之一，指器物口沿向外延伸。與廣口近意。

**竊曲紋** 由兩端回鈎的或「S」形的線條構成扁長形圖案，中間常填以「目」形紋。盛行於西周中後期，春秋戰國時仍沿用。

斜方格乳釘紋

**目形紋** 指在圓形或方框中部加一點或一橫，構成目形紋。流行於商中晚期至周初。

**圈足** 器物底足的式樣之一，指器足呈圓環形，有高低深淺之別。

## 002　醜亞方尊

商（前 1600 — 前 1046）

高 45.5 釐米，通寬 38 釐米
口徑縱 33.6 釐米，橫 33.4 釐米
足徑 22 釐米，腹深 33.6 釐米，重 21.5 千克

尊是盛酒器，也是酒器的共名。
銅尊有兩種形制：一種侈口，體近
圓筒狀（也有方體圓口形者，但極
少，應是此種尊的變體）。腹多微
凸，下有圈足，多出自商代晚期以

醜亞者（諸）姈（后）呂
大（太）子陝（尊）彝

醜亞方尊銘文

後，中期以前則少見。另一種是大口廣肩型，侈口，束頸，廣肩，腹與肩相接處為最大徑，向下則漸收，高圈足。有方形和圓形兩類。最早見於商代中期，盛行於晚期，周初尚存，卻已不多見。廣肩型尊體形比較高大。本器就屬於這種類型的方形尊。

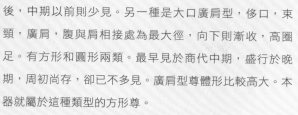

醜（音序）亞方尊通體飾花紋，肩部四角飾四象首，額上以二夔（音奎）龍為角，長鼻高舉，口邊伸出二巨大象牙。四面中間亦飾四獸首，額上伸出二枝杈形冠，似為鹿首形。器身裝飾了八條扉棱，上端出於口沿外，更顯得雄偉。本器是採用分鑄法製成的。所謂分鑄法，是指器物不是一次鑄成的。基本鑄法有兩種：一種是先鑄好器物的某一部分，然後將已鑄好的部分（或附件）嵌入器體範（模型）中，再澆鑄，使之與器體合成一體，如銅斝的柱、大型銅方鼎的器壁等都是採用這種方法鑄成的；另一種是先鑄成器體，在器體的相應部位預先鑄出凸起物或鑄出孔，然後將附件的陶範和泥芯附着在器上澆鑄，使附件與器體合在一起，如乳釘三耳簋的鋬（音盼，就是把手）和本器上的八個獸首，都採用這種方法。

醜亞方尊原是完全相同的一對，現藏故宮博物院的這件較完好，另一件足部殘損較重的現藏台北故宮博物院。

## 003 醜亞方罍

商（前 1600 — 前 1046）

通高 60.8 釐米，通寬 37.6 釐米
口徑橫 16.9 釐米，縱 15.5 釐米
足徑橫 19.4 釐米，縱 16.4 釐米，重 20.8 千克

醜亞方罍，廣肩，口微斂，屋頂形蓋上立一四阿式鈕。全器共八條扉棱，肩部左右各有一獸首啣環，繫繩後即可將器物提起，也可以直接當作把手使用。正面腹下部有一獸首形鋬。通體飾以回形紋為地的夔龍獸面紋。夔是傳說中的一種動物，似龍而一角，一足，

多張口捲尾，一般稱夔紋，也作夔龍紋。獸面紋舊稱饕餮（音滔帖）紋，是一種誇張了虎、牛、羊、豬等獸的正面頭像的紋飾，如醜亞方尊就是；另一種則是以二夔龍紋相對組成獸面，本器即是。

方尊和方罍都有銘文九字。「醜亞」是一個氏族的名稱。目前已知有這一氏族徽號的銅器多達五六十件。醜亞族當為商代的一個地位較高

罍是貯存液體的容器。漢代以前,把罍定為尊的一種,稱為山罍或山尊。宋人為銅器定名時,因有的器物上有自名,稱為罍,故而把它單列為一類。罍的形制,似甕而小,似罐而小頸廣肩,最突出的特徵是下腹部正面有鼻,可以提起,使罍傾斜,對於倒出貯存的液體較為方便。罍也有方圓二形,圓形多見,方形罍較少。

大　隴　者　醜
　　　姤
子　彝　呂　亞

**醜亞方罍蓋銘**

四阿式鈕　四阿式本為古建築物頂式樣,四面斜坡,有一條正脊和四條斜脊,屋面稍有弧度。此鈕造型與之類似,故名。

的大族,大概生活在以益都(今山東青州)為中心的地區。

　　與這二器同銘的銅器,見諸於世的約十件。銘文中有「者姤」二字,據原故宮博物院副院長、學者唐蘭先生考定,「者姤」就是「諸后」,指歷代先王。這組銅器既然用以祭祀歷代先王及太子,說明這一氏族與殷王朝關係密切,或許就是殷商帝王之宗族後裔。1975年河南安陽五號墓出土了一大批銅器,據考證是商王武丁的王后婦好的墓。銅器中也有大型的尊、罍多件,進一步證明這種大型祭祀重器非一般貴族所能鑄造。同時,由於銘文已由簡到繁,說明這兩件銅器應晚於婦好諸器,是商晚期的器物無疑。

## 004 四象觚（象紋觚）

商（前 1600 — 前 1046）

高 26 釐米，口徑 15.3 釐米，足徑 9.5 釐米
腹深 18.2 釐米，重 0.92 千克

## 005 九象尊（友尊）

商（前 1600 — 前 1046）

高 13.2 釐米，口徑 20.7 釐米，最大腹徑 18.7 釐米
足徑 15 釐米，腹深 10 釐米，重 2.72 千克

觚（音姑）是飲酒器。銅觚最早見於商中期，是來源於陶器的器型。大汶口文化和龍山文化遺址中都出土過陶觚，型式均與銅觚相似。早期的觚一般可分為細腰體高型與粗腰體矮型二種。後者較實用；前者既細又高，用來飲酒不大方便，可能只是作為禮祭器而存在的。觚的型制西周時已漸漸減少至消失，可能與周代禁酒有關。

象現在是熱帶地區的動物。可是商周時代，中原地區

四象觚

九象尊因器腹內有一銘文「友」字，故又稱為「友尊」。「友」應是氏族徽號。本器造型奇異，既有別於大口廣肩尊，又不同於圓柱形尊，可能屬於大口廣肩型的一種特殊變體。此尊大口圓形，侈口，束頸，鼓腹，圈足上有三個十字形孔，範合縫於十字孔處，顯然是由三塊外範（模子）合鑄而成。腹部以回形紋為地，上有九隻象形紋飾。頸部飾一道復合回形紋帶，口沿下飾一周二十四個蕉葉紋，頸腹紋帶上下各飾一周圓圈紋（或稱作連珠紋）。最值得注意的是圈足上飾瓦紋，這種紋飾以其與舊式房屋上瓦壟相似而得名，開創了後世瓦形紋飾的先例。瓦紋主要盛行於西周晚期至春秋時代。

這兩件器物均係 1940 年代殷墟出土。四象觚存世三件，除本器外，另兩件一存美國古董商手中，一藏於瑞典首都斯德哥爾摩市遠東博物館。而九象尊卻是國內外僅有之絕代珍品。

**殷墟遺址**
殷墟是商代後期的都城遺址，位於河南省安陽市。它是中國歷史上第一個文獻可考、並為考古學和甲骨文所證實的都城遺址，確證了商王朝的存在。

則是周代的用語。再從銘文的書法特點以及這件簋的形制和
花紋來看，應定為周初器。周初的書法特點，一般稱作波捺
體，即字中有肥筆，首尾兩端出尖鋒，端嚴工整，典雅優美。
「董臨」則可能是商代的遺民或貴族。

外範合鑄的，兩側的範縫為耳部所掩，前後的範縫就以獸面
或鼻形的裝飾來掩蓋。

　　這件簋耳部的裝飾最為突出。一般簋耳，都只做成一種動物
的形象。這裏卻把龍和鳥的形象結合在一起。設計這件簋的兩千多年
前的工藝師，巧妙地把這個略具橢圓形的把手上部做出一個龍頭，上面崢
嶸地聳立兩個方角，在凸出的上唇下面，露着兩顆銳利的巨牙，帶着鱗的一
段龍身和簋體結合起來。把手的其他部分則做成一
隻鳥，鳥頭連接在龍的頰下，凸出的鳥喙像鈎子
一樣向下彎曲，鳥身和兩翼略作弧形後掠，
因而構成把手的下半部，鳥尾與簋體
相結合，而把手下面，在長方形的
珥上，則刻出鳥足和長長的羽毛。
在一個簋耳上，出現這樣複雜、
生動，又幾乎是獨立的圖雕，是
極少看到的。

董臨乍（作）父乙
寶隫（尊）彝

董臨簋銘文

## 008 虎戟鎛

### 西周（前 1046 — 前 771）

通高 44.3 釐米，鈕高 10.5 釐米，通寬 39.6 釐米
銑間距 27 釐米，鼓間距 20.4 釐米，重 16 千克

青銅樂器在青銅器中佔有相當的比重。如果説禮器代表當時社會森嚴的等級制度的話，那麼，樂器也具有同等的效用。使用樂器的多少同樣能反映出當時貴族地位的高低。按周代的禮制，天子用鐘四組，諸侯三組，卿大夫二組，士一組。進入春秋時代以後，就出現了孔子所見到的「樂壞禮崩」

　　鐃發展到西周，轉變為鐘，初為甬鐘。最早見於西周中葉，其形制如圖所示，就好像是倒懸的鉦鐃，懸於架上敲擊，多為成組出現（即今謂「編鐘」）。每組三件以上，多至十餘件。春秋以後出現鈕鐘。湖北隨縣出土的曾侯編鐘有六十四件，分為八組，每組數量有多有少。音色優美，音域寬廣，可用來演奏現代音樂，説明中國古代音樂藝術水平之高超。

　　鎛（音博）為鐘的一個分支，與鐘小有差別。一般是以造型來區分，即下口呈橋形者為鐘，平口者為鎛。鎛的出現要晚於甬鐘，而早於鈕鐘。早期

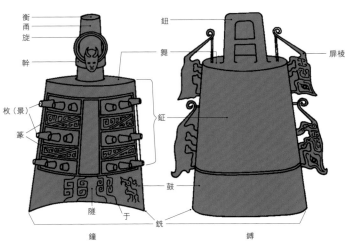

衡
甬
旋
幹
枚（景）
篆
隧
于
鐘

鈕
舞
扉棱
鉦
鼓
銑
鎛

**鐘、鎛各部名稱示意圖**

的局面。所以，我們所見到的鐘的數量，遠遠超出上述的等級制度的標準。

　　樂器和禮器一樣，隨着時代和地域的不同，也有很大變化和差異。商代有鐃無鐘，也有稱為鉦的，是中國迄今所知道的最早的打擊樂器。河南安陽出土的這種樂器，形制體扁短闊，上大下小，口朝上，有柄在下，中空可裝木把，編鐃一般較小，三五個一組；大鐃多單個出土，上飾獸面紋或象、虎等紋飾。春秋戰國時代的徐、楚、吳、越等地盛行一種稱為句的樂器，實際就是鉦鐃的變形。

的鎛是單個使用的，到春秋以後才出現了編鎛，如陝西省寶雞市出土的秦公鎛、故宮博物院藏的蟠虺紋鎛，都是三件一組的編鎛。與一般鐘鎛相比，本器裝飾比較奇特。前後兩面鉦部各飾以一組大獸面，中間凸起一道鏤空的扉棱（已殘，似應為一鳥），好像是獸面的鼻。獸面兩旁各有一條倒立的夔龍，獸面上下各有一以圓渦紋為主體的條帶形紋飾。製作者還匠心獨具，在鎛身上飾有四隻張口捲尾、形態極為生動的扁形立體虎，兩兩相對，構成鎛兩側的扉棱，使動與靜有機地結合，給人以一種美的享受。由此可見中國古代的藝術家對於造型裝飾藝術研究之精深，構思之奇巧，已達到了相當高的水平，從而使這件銅器具備了文物和藝術品的雙重價值。

　　與本器相似的鎛有三：一、宋代《宣和博古圖》著錄的「周虎鐘」，今不知落於何處；二、現存日本的「虎鐘」；三、上海博物館藏「四虎鎛」。其中僅上海四虎鎛鉦部紋飾與另三器差異較大。

# 師趛鬲

西周（前 1046 — 前 771）

通高 50.8 釐米，器高 42 釐米，口徑 47 釐米
通寬 57.6 釐米，重 48.8 千克

我們通常所説的鼎，就是指兩耳、三足圓腹的容器。但也有例外。如：扁足圓鼎、三足分襠鼎、代盤鼎、獨柱鼎等，都是普通圓鼎的變體。商代中期至西周早期，還流行一種四足方鼎，著名的重達八百七十五公斤的「妉戊」（或釋「司母戊」「后母戊」）大方鼎，就是這種形制的代表作。商代的鬲（音立），立耳，袋形腹較深，足短，到商末周初體形已

本器自名鬵（音辱），是一種大型鬲鼎，是傳世「熟坑」。侈口折沿，頸部有三附耳，分襠袋形腹有扉，蹄狀足。全器紋飾以「鼓花」（即半浮雕）為主，地飾回形紋，腹部飾六隻巨大的回首夔龍紋。從這些特徵以及銘文風格與內容來看，本器是西周晚期製作。

本器是師趛（音引）為其父母所鑄祭器，因此稱為師趛鬲。器腹內壁鑄有銘文五行二十九字。銘文大意是：在九月初庚寅這個吉祥的日子裏，師趛為其已故的父母鑄造了這件大鬲鼎。願其子孫萬代永世寶用。

師趛鬲造型雄偉，是一件祭祀重器，飾有巨大獸形花紋，呈現出莊嚴肅穆的形象。本器是迄今所知銅鬲中最大也是最華麗的一件。

由高變低。西周後期至春秋前期，體形更矮，分襠已近於平底，但有一圈很寬的唇邊，且多無耳。但是這時也出現了一些袋形腹的鬲，可能屬於一種返祖現象。鼎之大者，往往有專名，如鑊鼎、鼎升等。不過鬲和鼎雖有分別，但功用很相似，同為煮食器，相當於現代的鍋。鬲和鼎在古時代可能同出一源，後來才分家。鬲這種器型到戰國晚期就消失了。

佳（惟）九月初吉庚
寅師趛乍（作）文考
聖公文母聖姬
陾（尊）彝（靈）其萬年子
孫永寶用□

師趛鬲銘文

## 010　螭樑盉

戰國（前 475—前 221）

通高 24.2 釐米，寬 24.2 釐米，重 3.52 千克

盉（音和）是一種酒器，與今天使用的酒壺相類。從這類銅器的大小和腹下多具三足或四足來看，似是既可裝酒，又可以加熱的器皿。但也有一些圈足盉（或無足盉），則只能裝酒而不能溫酒了。從出土情況來看，盉往往與盤同出，有人據此說它是水器，可能有一定道理。

早期盉的造型與晚期的盉有很大差別。

本器流為鳥首形，口微張作鳴狀，以扁圓形盉體為鳥腹，流的根部為鳥的後掠形雙翅和後收的雙爪。鳥首上臥一虎，作為鳥之冠。提樑為螭（音吃）形，雙足分立於器肩，螭首前伸近鳥冠，尾下垂，身作弓形，隆起部分的兩側各由互相絞結的九條小螭鏤空而成，四足近身部各飾一對飛狀的短翼。盉直口微斂，有蓋，上有猴形鈕，頸套鏈環與樑內側相連，左上肢摟在後腿上作蹲坐狀，右肢扶着環鏈。盉腹下有三異獸形足，人面、鳥嘴、四爪、有尾。頭兩側二角下捲，身被鱗斑，裸露雙乳。二後爪並立，腿略前屈，二前爪各緊抓一蛇，蛇首貼於腹部上昂於乳下，蛇身纏繞異獸腹及肩部，尾下垂於腰側。中國古籍《山海經·中次八經》裏曾介紹：驕山之神，名蟲（音駝）圍，其狀如人面，羊角，虎爪，與此異獸特徵大略相合，疑此異獸即是蟲圍。

全器除圈形底為素面外，通體遍佈以粟紋為地的紋飾。器身花紋三層，中間為二寬弦紋（單線條

的紋飾，較寬），上下二層，主紋為勾連雲紋（連續
性的雲形紋）；中層主紋由八組花紋組成，每組由一
首二身的蟠螭（傳說中無角的龍）與二首一身的異
鳥相纏繞組成，異鳥昂首垂尾，螭首向下，螭身繞
異鳥一頸後回轉至首下。蓋沿由互相勾連的二十條
雙頭蟠螭組成花紋帶，蓋頂一周寬弦紋內為細線勾
勒的六片葉狀紋及三角紋。鳥形流頸部、異獸形足
的身上纏繞之蛇均飾鱗紋。

　　本器造型奇特，裝飾繁縟，在戰國銅器中是較
為突出的。特別是器身上既有寫實的鳥、虎、猴、

蛇等動物形象，又加上一些想像中的神怪，
充分顯示了戰國時期鑄造水平的先進與技
藝之高超。這件銅盉可稱得起古
代工藝美術品中的一件不
可多得的傑作。

**提樑**　螭形，雙足分立於器肩，螭首前伸近鳥冠，尾下垂，身作弓形，隆起部分的兩側各由互相絞結的九條小螭鏤空而成，四足近身部各飾一對飛狀的短翼。

1

**猴形鈕**　盉直口微斂，有蓋，上有猴形鈕，頸套鏈環與樑內側相連，左上肢摟在後腿上作蹲坐狀，右肢扶着環鏈。

2

3

**流**　流為鳥首形，口微張作鳴狀，流的根部為鳥的後掠形雙翅和後收的雙爪。鳥首上臥一虎，作為鳥之冠。

011　石鼓文　034

012　明初拓東漢張遷碑　036

013　伯遠帖　038

014　張翰帖　042

015　自書詩卷　044

016　新歲展慶帖　048

017　詩送四十九姪帖　050

018　苕溪詩卷　052

019　洛神賦圖卷　054

020　列女仁智圖卷（部分）　058

021　遊春圖卷　060

022　步輦圖卷　064

023　揮扇仕女圖卷　068

024　五牛圖卷　072

025　韓熙載夜宴圖卷　076

026　高士圖卷　082

027　瀟湘圖卷　084

028　寫生珍禽圖卷　088

029　窠石平遠圖軸　090

030　臨韋偃牧放圖卷　094

031　漁村小雪圖卷　100

032　清明上河圖卷　102

033　水圖卷　112

034　大儺圖軸　118

# 書畫

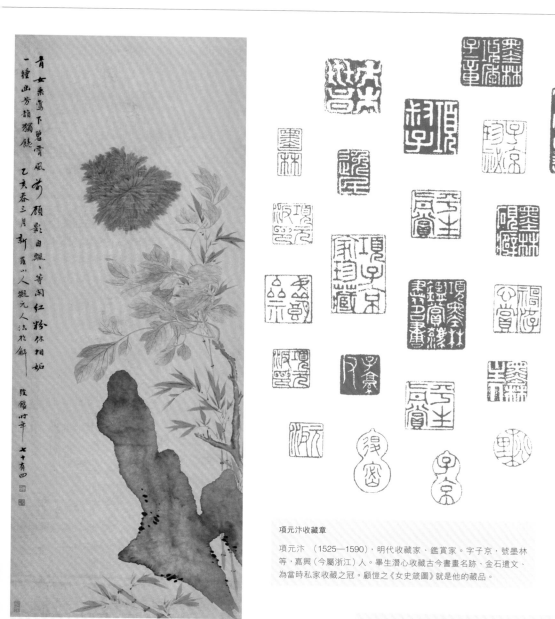

**華嵒《牡丹竹石圖》**

華嵒 （1682—1756），清代畫家。字秋岳，號新羅山人等。上杭（今屬福建）人，後寓杭州。寫動物尤佳，為小寫意花鳥畫的代表畫家。

**項元汴收藏章**

項元汴 （1525—1590），明代收藏家、鑑賞家。字子京，號墨林等，嘉興（今屬浙江）人。畢生潛心收藏古今書畫名跡、金石遺文，為當時私家收藏之冠。顧愷之《女史箴圖》就是他的藏品。

**揚州八怪**

清康熙中期至乾隆末年（約 1690—1790）生活於揚州地區的一批書畫家總稱，美術史上也稱為「揚州畫派」。一般指金農、鄭燮、黃慎、李鱓、李方膺、汪士慎、羅聘、高翔八人。他們大多出身貧寒，清高狂放，書畫成為抒發心胸志向、表達真情實感的媒介。

# 石鼓文

O11

東周（前 475 — 前 221）　秦

共 10 塊，花崗岩質，高約 90 釐米，直徑約 60 釐米

石鼓是東周時期秦國刻石，形略像鼓，共十塊。石鼓自公元 7 世紀初在陝西雍縣發現後，其上所刻籀文書法受到了當時書法家虞世南、褚遂良、歐陽詢等人的推崇。唐、宋以來，杜甫、韋應物、韓愈、蘇軾都為石鼓作過詩。從歐陽修的《集古錄》起，後世都把它作為石刻中最重要的寶物。從

石鼓文在書法史上的重要地位表現在它繼承了籀文（大篆）的傳統，開創了小篆的先河。它是籀文發展到小篆的過渡，是小篆之祖。唐初蘇勗（音序）說：「虞、褚、歐陽共稱古妙。」張懷瓘《書斷》在談到大篆時說：「折直勁迅，有如鏤鐵，而端姿旁逸，又婉潤焉。」這是指石鼓文的書法特點。石鼓文結字較為方整，大小勻稱、佈局緊密、筆法圓勁、不露鋒芒，歷來為學篆書者所共宗。

但是石鼓的好拓本很難得，唐代初年剛發現時原石就已有剝泐（音勒）。傳世的北宋拓本有四本，四明范氏天一閣藏有一本，清末發現明安國十鼓齋中的三本，但安國三本均流往日本。北宋末年石鼓原石被金人劫掠北上，金章宗時將石鼓「金封」，因而南宋不可能有拓本。入元以後直到明、清，其拓本文字損壞更多。故宮所藏拓本原為朱文鈞先生藏本，明中期拓。

**明中期拓本（局部）**

### 石鼓文的內容

在十塊巨石上分刻十首四言詩，分別是：「吾車」「汧殹」「田車」「鑾車」「靈雨」「作原」「而師」「馬薦」「吾水」「吳人」。用大篆寫成，原有 700 餘字，今僅存 356 字。詩中記載的是周王派使者到秦，秦公和他一起到汧河一帶去遊獵的盛況，因此又名「獵碣」。

石鼓可以看出其時的銘刻、文學、文字、書法的發展。所以石鼓文無論在歷史考古、文學史、文字發展史，以及在書法藝術史上都佔據着重要的地位，是一件極珍貴的重器。

這組國寶曾歷盡滄桑。唐初發現後，一直在原地風吹日曬，任人損毀，宋代才移入鳳翔府學。宋徽宗時收到汴京，先由蔡京放在辟雍，後入內府稽古閣。金人破汴京劫掠北上，安置在大興府學（大興即現在北京）。入元，石鼓放在國子學廡下，後又遷到另立的國子學大成門內，在那裏經過了六百多年。抗戰期間曾被南遷，輾轉萬里，勝利後運回北京。現由北京故宮博物院辟專室收藏。

# 明初拓東漢張遷碑

O12

東漢・中平三年（186）

拓本為原碑尺寸大小（原碑高 314 釐米，寬 106 釐米）

隸書出現於秦，盛行於漢，是一種很美觀的書體。它在篆書的基礎上加以損益，結體由圓變方，比起篆書不僅具有「規矩有則，用之簡易」的特點，而且特別適宜於毛筆書寫。其筆法的變化具有濃厚的裝飾趣味，因此在書法史

碑文書體端整樸茂，古厚雄強中時出矯健奇宕之姿，筆致剛勁挺拔而又凝練典雅，富於變化。其用筆往往方折入筆，出以鋪毫，結體趨於方長，但字體的大、小、長、短、扁、方及筆畫的粗細互參，變化無窮。碑陰書體更加縱肆、自然。此碑與《衡方碑》及《鮮于璜碑》相近，開闢了魏晉書風的先河。《張遷碑》可以說是東漢末年隸書的代表作之一，在書法史上有其重要的地位，因此自從出土以來，廣為人們重視並傳習。

《張遷碑》好拓本存世不多，而出土初拓本「東里潤色」四字完好者，所見唯此一本。此本拓工精良，墨色渾厚，字口清晰，是一件明拓珍品。

此拓本曾經寶熙等人題簽，桂馥、郭紹高、陸士等跋六段，又褚逢春、王雲、汪大燮、翁同龢、劉廷琛、陳寶琛等人觀款。此拓本最後的收藏者是蕭山朱文鈞，1954 年捐獻給故宮博物院。

初拓本冊頁封面

《張遷碑》碑額（局部）

上是重要的書體。其中《張遷碑》又被視為漢隸中雄強風格的典型之作。

　　《張遷碑》立於東漢靈帝中平三年（186），明代初年出土。原石在山東東平，現保存在山東泰安岱廟。碑文十六行，每行四十二字，碑額篆書「漢故穀城長蕩陰令張君表頌」。碑文內容記載了張遷的生平事跡及其為人。碑陰刻有捐款立碑人的姓名。

**張遷**

（生卒年不詳），字公方，陳留郡己吾縣（今河南寧陵境內）人。曾任穀城長、蕩陰（湯陰）縣令。碑文係故吏韋萌等立，未署書寫者姓名，刻石人為孫興。

013

# 伯遠帖

東晉（317 — 420） 王珣

紙本 行書，縱 25.1 釐米，橫 17.2 釐米

晉代書法繼承漢魏，名家輩出。不但諸體皆備，而且自得新裁，可以說是書法史上盛況空前的時代。其中以王羲之、王獻之等一門書法藝術成就最著，影響最大，為後世所宗法。但「二王」手書墨跡真本，世早失傳。存世所謂「二王」書均係唐宋人摹本。唯一屬「二王」系統書法真本的只有王珣所書《伯遠帖》，所以歷來都當作稀世之珍。

《伯遠帖》是王珣寫的一封書信，五行共四十七字。其文云：「珣頓首頓首，伯遠勝業情期，群從之寶。自以羸患，志在優遊。始獲此出，意不剋申。分別如昨，永為疇古。遠隔嶺嶠，不相瞻臨。」此帖筆法削勁挺拔，鋒棱畢現，結體嚴謹，筆畫疏密有致，書勢略微向左方傾側，險峻而端肅，可以看出晉人書法的風度神韻。是研究晉代書法極為寶貴的墨跡原件。

此帖曾經北宋內府收藏，著錄於《宣和書譜》。明、清又經董其昌等人遞藏，《書畫記》《平生狀觀》《墨緣彙觀》有著錄。乾隆年間入內府，乾隆皇帝極為珍視，將此帖與王羲之《快雪時晴帖》、王獻之《中秋帖》藏於養心殿西暖閣，專門為此三件墨寶設「三希堂」，常常賞玩其中。清亡後由溥儀攜出故宮，復流落民間。1949 年後，此帖與《中秋帖》流落香港，1951 年底，國家以重金將兩件國寶收購回來。

王珣 （349—400），字元琳，琅琊臨沂（今山東臨沂）人。東晉大臣、書法家。丞相王導之孫，王羲之從姪。幼從家學，有書名，《宣和書譜》稱其為「草聖」。

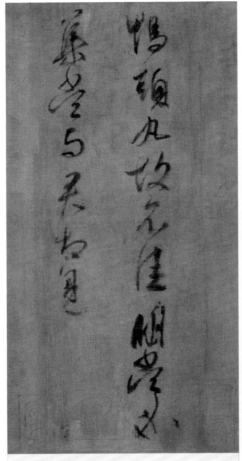

王獻之《鴨頭丸帖》

王獻之 （344—386），字子敬，小名官奴。東晉書法家、詩人、畫家、官員，王羲之第七子，父子並稱書法「二王」。

王羲之 （303—361），字逸少，號澹齋，原籍琅琊臨沂（今山東臨沂），後遷居山陰（今浙江紹興），東晉書法家、官員，被後人尊為「書聖」。

董其昌 （1555—1636），字玄宰，號香光居士。松江華亭（今上海市）人。明朝晚期大臣，書畫家。創作講求追摹古人但不泥古。在書畫理論方面主張「南北宗」，對晚明以後的畫壇影響深遠。

珣頓首頓首　伯遠勝業

情期群從之寶自以羸

志在優遊始獲此出

意不剋申分別如昨永為

疇古遠隔嶺嶠不相瞻臨

古
遠
博
嶺

烈
申

興化仙遊（今屬福建）人。他的書法取法晉唐，隸、楷、飛白、行、草均工，尤以行、楷書著稱。對鍾繇、王羲之及顏真卿書法的學習下過很深的功夫。他嚴守法度，仿王羲之能做到「形模骨肉，纖悉俱備，莫敢逾軼」，並且最得「唐人形似」。宋徽宗趙佶曾說：「蔡君謨書包藏法度，停蓄鋒銳，宋之魯公（顏真卿）也。」蘇軾也曾稱讚他的書法「天資既高，積學深至，心手相應，變化不窮，為宋朝第一」。不過他的書法在「出古入新」方面不及蘇、黃、米三家，但在北宋前期師古風靡的時代，他能集唐名家之長，「備眾體而後能自成一體」，其書法藝術的成就在書法史上還是比較突出的。

勁。開始行中帶楷，逐漸流暢，變為行草，後來揮灑自如，變為草書。但整個風格瀟灑俊美中不失端重沖和。

　　此卷後部有宋、元諸名家題跋，曾經宋賈似道、清梁清標等收藏。《珊瑚網》《吳氏書畫記》《平生壯觀》《石渠寶笈三編》等書著錄，也曾刻入《秋碧堂帖》。

《蔡襄自書詩》釋文（部分）

詩之三　皇祐二年十一月外除赴京

南劍州芋陽鋪見臘月桃花
可笑夭桃耐雪風，山家牆外見疏紅。
為君持酒一相向，生意雖殊寂寞同。

書戴處士屋壁
長岡隆雄來北邊，勢到舍下方回旋。
三世白士猶醉眠，山翁作善天應憐。
如彼發源今流泉，兒孫何敢鷹馬然。
有起家者出其間，願翁壽考無窮年。

題龍紀僧居室
山僧九十五，行是百年人。
焚香猶夜起，憊酒見天真。
生平持戒定，老大有精神。
須知不變者，那減故時新。

霜鬢渾盈把臨津隙廛逶

畫傳清罕舞單甕驚浪聲歌

扇熵雪慈驦餘道晚霧望外

迷空野曾是俠游人意慮亦蕭洒

自漁梁驛至浙州大雪有作

大雪壓空野駝車狼行乾坤

初一色晝夜忽通明有物比遷白

題南劍州延平閣

雙溪會一流新橋橫鮮赭浮屠紫

霄衡臥影澄川下峽深風刀豪石

隔端聲鴻古劍蟄神龍高帆

来陣馬睹芄轉群山翠色著萬

几汀洲生芳香草樹自開治主郡

黃土安高文勇扳賈顧我久練悴

## O16 新歲展慶帖

北宋（960 — 1127） 蘇軾

紙本 行書，縱30.2釐米，橫48.8釐米

蘇軾（1037—1101），字子瞻，號東坡居士，四川眉山人。北宋文學家、詩人、書畫家，「唐宋八大家」之一。其書法行、楷書取法李邕、徐浩、顏真卿、楊凝式，並上溯「二王」與智永，吸收各家之長，創立新意，自成一體，與黃庭堅、米芾、蔡襄並稱為「宋四家」。

**陳慥**
（生卒年不詳），字季常，北宋眉州青神（今四川眉山）人，文學家陳希亮之子，蘇東坡好友，人稱方山子。蘇東坡有《方山子傳》記其生平。

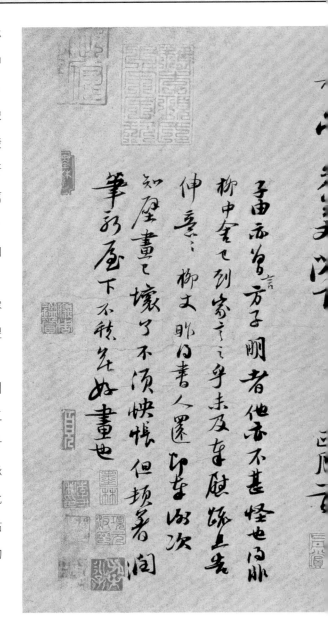

　　《新歲展慶帖》是蘇軾行書佳作。用筆暢快淋漓，蒼勁靈秀。書體的筆畫比較豐腴，結字在險中求平穩，這是蘇軾的特點。唐代的書法，如顏真卿、柳公權等人，以平正、穩重和莊嚴而見長；到宋代，蘇軾、黃庭堅、米芾等人則是追求奇險、活潑和靈秀，因而創造了新意，形成了宋代的書風。《新歲展慶帖》可以說是這一新書風的代表作品。全篇十九行，二百四十餘字，一氣呵成。雖是一封書信，並無半點草率或凝滯，筆隨意轉，自然天成。正如蘇軾自謂「書初無意於佳乃佳爾」。

　　此帖是蘇軾寫給好友季常（陳慥）的，其內容主要是約陳慥到黃州一會。從內容來看當書於元豐四年（1081）農曆正月初二，當時蘇軾四十四歲，是他貶官黃州的第二年。元豐三年，蘇軾請得黃州城東營地數十畝並躬耕其中，在此構築新居，第二年正月初新居尚未落成，故蘇軾在信中寫道：「竊計上元（正月十五）起造尚未畢工，軾亦自不出，無緣奉陪夜遊也。」望陳慥於正月末到黃州來會。由此可知蘇軾東坡雪堂大約竣工於是年正月下旬。此帖不僅是蘇軾書法佳作，也是研究他的生平及交遊的重要史料。

李邕　（678—747），字泰和。鄂州江夏（今湖北武漢）人。唐朝大臣、書法家。

顏真卿　（708—784），字清臣。京兆萬年（今陝西西安）人，祖籍琅琊臨沂（今山東臨沂）。唐朝名臣、書法家。楷書四大家之一，其楷書號稱「顏體」。

柳公權　（778—865），字誠懸。京兆華原（今陝西銅川）人。唐朝書法家、詩人。「楷書四大家」之一，其楷書號稱「柳體」。

楊凝式　（873—954），字景度，號虛白。華州華陰（今陝西華陰）人。唐末五代時期宰相、書法家。

智永　（生卒年不詳），僧人，南朝人，本名王法極，字智永。書法家。王羲之七世孫。

**《新歲展慶帖》釋文**

軾啓。新歲未獲展慶，祝頌無窮。稍晴，起居何如？數日起造必有涯。何日果可入城？昨日得公擇書，過上元乃行，計月末間到此。公亦以此時來，如何？如何？竊計上元起造尚未畢工，軾亦自不出，無緣奉陪夜遊也。沙枋畫籠，旦夕附陳隆船去次。今先附扶劣膏去。此中有一鑄銅匠，欲借所收建州木茶臼子並椎，試令依樣造看。兼適有閩中人便，或令看過，因往彼買一副也。乞暫付去人，專愛護，便納上。餘寒更乞保重，冗中恕不謹。軾再拜，季常先生丈閣下。正月二日。

子由亦曾言，方子明者，他亦不甚怪也。得非柳中舍已到家言之乎。未及奉慰疏，且告伸意，伸意。柳丈昨得書，人還即奉謝次。知壁畫已壞了，不須快怏，但頓著潤筆新屋下，不愁無好畫也。

O17

# 詩送四十九姪帖

北宋（960 — 1127）　黃庭堅

紙本　行楷書，縱 35.5 釐米，橫 130.2 釐米

黃庭堅（1045—1105），字魯直，號山谷道人，分寧（今江西修水）人，北宋著名詩人、書法家。他的詩文出於蘇軾門下，與張耒、晁補之、秦觀合稱「蘇門四學士」，開江西詩派。其書法兼擅行、草書，初以周越為師，後取法顏真卿、懷素，並受楊凝式的影響，尤得力於《瘞鶴銘》而自成一家。

在黃庭堅的大行楷書中，《松風閣詩》《詩送四十九姪帖》最能代表他的風格，因而引起學書者的廣泛重視。

《詩送四十九姪帖》內容表達了黃庭堅與其姪初見又別，舉觴以「奮發」，「軒昂」共勉的情景。全篇十三行，四十六字，首書標題，後為五律一首。結字險側奇崛，筆法蒼老勁健，體勢挺拔、縱橫、舒展，浩然之氣溢於紙墨，給人以「快馬入陣」之感。這是黃庭堅在吸取《瘞鶴銘》、顏真卿、楊凝式等人書法的基礎上取精用弘，自創的一種新的書體。這種新書體最大特點體現在中宮斂結、長筆四展的「輻射式」結構上，如「奮發」「修」等字，突破了晉、唐楷書方正的外形，以其點畫借讓與誇張的手法，使中宮收斂處顯得堅實茂美，長筆伸展處風神俊逸。黃庭堅晚年行楷書均具有此種特點。

此帖著錄於《石渠寶笈初編》，是《宋元寶翰冊》之一，曾刻入《三希堂法帖》第十三冊，是一件流傳有緒的書法珍品。

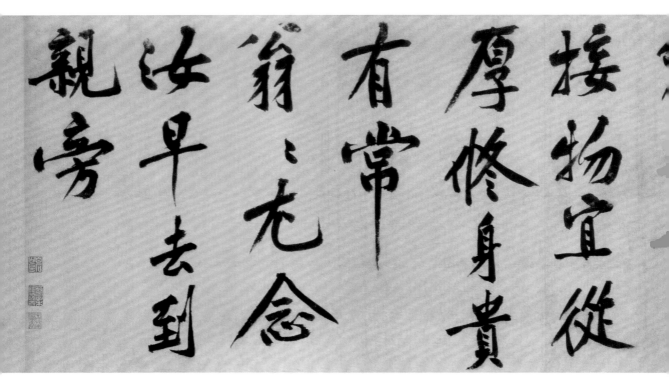

《詩送四十九姪帖》釋文

有妷財相見，何堪舉別觴。
共期同奮發，更勉致軒昂。
接物宜從厚，修身貴有常。
翁翁尤念汝，早去到親旁。

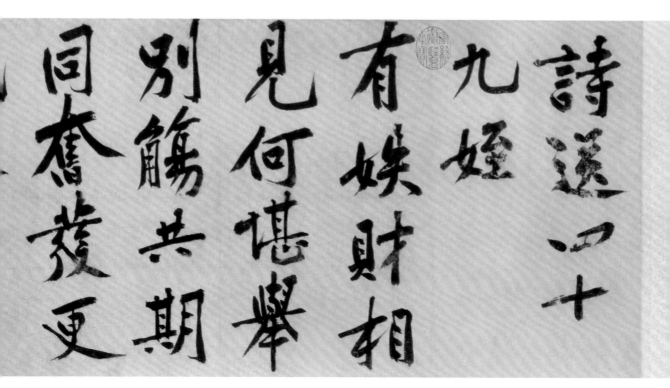

## o18 苕溪詩卷

北宋（960 — 1127）　米芾

紙本　行書，縱30.3釐米，橫189.5釐米

米芾（1051—1107），初作黻，字元章，號海岳外史、襄陽漫士等，人稱「米南宮」。祖籍山西太原，後遷襄陽，晚定居潤州（今江蘇鎮江）。徽宗朝曾官至書畫學博士、禮部員外郎等。他是北宋末年最著名的書畫家之一，在書法史上佔有重要地位，其影響及於宋、元、明、清以至現代。

米芾的書法繼承晉、唐傳統，特別對於「二王」和歐陽詢、褚遂良書法的臨學下過很深的功夫，並能吸收諸家之長，融會貫通，自立門戶。正如他自己所説：「壯歲未能立家，人謂吾書為『集古字』，蓋取諸家之長總而成之。既老，始成家，人見之不知以何為祖也。」道出了他在繼承和創新問題上的必由之路。因此他能「每出新意於法度之中，而絕出筆墨畦徑之外」（孫覿語）。所以他的書法在當時就被評為：「如快劍斫陣，強弩射千里，所當穿徹，書家筆勢亦窮於此」（黃庭堅語）。

《苕溪詩》是米芾中年書法代表作，書於元豐三年（1080）八月，當時米芾三十八歲。從詩句內容得知，那時他在太湖一帶漫遊，經蘇州、無錫等處而舟行抵達吳興，此卷是在無錫將要出發去吳興之前寫的。行書五律詩六首，共三十四行，通篇一氣呵成，行氣疏朗中見嚴密，錯落參差而又渾然一體；書勢奇險中見穩重，雖結字多有傾側，但字字都能把握重心而「追險得夷」。用筆秀勁中見蒼渾，筆筆不同、重輕不同，千變萬化，達到了「瘦不露骨」「肥不剩肉」、天真、自然的最佳境界。可以説它是米芾書法藝術中的傑作，代表了米書的典型風格。

此卷原為清內府藏，溥儀出宮時攜往長春，偽滿覆滅時散出。卷中「念」「養心功」「不厭」六字殘失，「載酒」二字半損，原有李東陽篆書大字引首和卷末項元汴題記均已失去。1963年故宮收得此

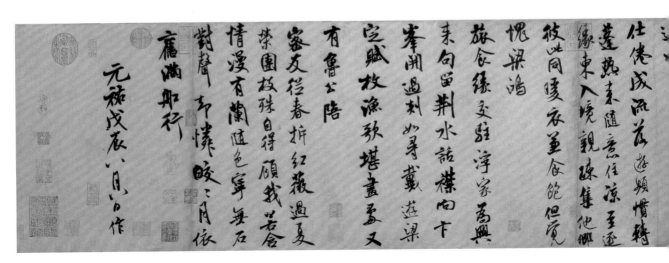

卷，重裝時由故宮博物院鄭竹友先生根據未損時的
照片將米書缺字補全。

《苕溪詩》釋文（部分）
將之苕溪戲作呈諸友　襄陽漫仕黻
松竹留因夏，溪山去為秋。久賡白雪詠，更度采菱謳。
縷會（點去）玉鱸堆案，團金橘滿洲。水宮無限景，載與謝公遊。

# 洛神賦圖卷

東晉（317 — 420）　顧愷之

絹本設色，縱 27.1 釐米，橫 572.8 釐米

019

顧愷之（345—406），字長康，小字虎頭，晉陵無錫（今江蘇無錫）人，士族出身。善丹青。是中國繪畫史上第一位有作品可考的大畫家。他多才多藝，除擅長繪畫外，還工詩賦、書法。

顧愷之最善畫人物，兼及山水、禽獸，曾創作過不少道釋壁畫。他的畫法被稱為「密體」，特點是線條「緊勁聯

《洛神賦圖》取材於三國曹植的《洛神賦》。原作運用神話寓言的手法，描寫詩人在洛水邊與洛水之神的邂逅，以寄托他對不能相結合的情人的傷懷和思念。顧愷之採用了手卷的形式，主要人物——洛神和曹植在畫中反復出現，以一幅幅連續的畫面，展現了故事的全過程。整卷《洛神賦圖》不但準確恰當地表達了原賦的內容，而且在藝術手法上，也和原賦精神一致，通過畫面的形象，成功地

綿，循環超忽」，如「春蠶吐絲」「春雲浮空，流水行地」，輕盈、流暢、優美、動情。

　　這卷《洛神賦圖》，雖為宋人摹本，但其畫法，仍然保持着顧氏原作的特點及六朝遺意。自宋以來，流傳有緒，是了解顧愷之藝術成就極為可貴的資料。

表達了賦中的思想感情。這是一種在文學作品基礎上的再創造。

　　畫卷開首，描繪曹植在侍從簇擁下，來到洛水邊。遙遙望見他所苦戀的、美麗的洛水之神出現在

泛起微波的水面上。洛神梳着高高的雲鬌，衣帶被風吹起，邁着輕盈的步履，回首反顧岸邊，似欲去還留，欲行還止。其形體刻畫優美，恰如賦中的描寫「穠纖得中，修短合度」；其動態情思，正是「步踟躕於山隅」的再現。洛神的周圍，水中盛開荷花，岸上是青松秋菊，天空有日月、遊龍、鴻雁，這些都是賦中用以比喻洛神美麗的事物，顧愷之在畫中一一描繪出來，使賞畫者及時聯想起賦中的句子；同時，也取得了畫面的裝飾效果，增

添了故事的神話色彩和夢幻氣氛。此後按賦的敍述發展，洛神反復地在畫中出現。最後，她駕着六龍雲車，消失在雲端。這一段的描寫很鋪張，富於想像；顧愷之的描繪也很精彩，雲與水相間相連，各種神話中的動物形象奇異，賦色華麗，洛神坐在雲車之上，仍然反顧着後方，表現着依依不忍離別的神情。最後，畫面描繪曹植御舟去追趕洛神，繼之坐在岸邊秉燭待旦，以期洛神的再現，終竟無可奈何駕車歸去。

《洛神賦圖》在技法和形象創造上，繼承了漢代的傳統，尤其是畫中那些神話中的形象，如太陽中的三足烏鴉，水中的游魚等，自然會令人聯想到西漢帛畫和漢代的墓室壁畫。但是《洛神賦圖》線描的精細，造型的準確，通過人物間的相互關係和環境的渲染所表達的感情色彩，卻又大大超過了漢代的繪畫水平。當然，在山水畫方面，「水不能容泛」「樹如申臂佈指」，不及後來的進步，代表着六朝的時代風格；而這一點正使我們相信它的原作是顧愷之所創造的。

曹植（192—232），字子建，沛國譙縣（今安徽亳州）人，曹操第三子。三國時期文學家，建安文學的代表人物之一與集大成者。因封陳王，諡曰「思」，故世稱「陳思王」。

020

# 列女仁智圖卷（部分）

東晉（317 — 420）　顧愷之

絹本淡設色，縱 25.8 釐米，橫 470.5 釐米

《列女仁智圖》是根據漢代劉向所撰《列女傳》而創作的。原稿向傳為顧愷之所作。《列女

衛靈公

　　《列女仁智圖》共繪十五個列女故事，此卷為殘本，其中「楚武鄧曼」、「許穆夫人」、「曹僖氏妻」、「孫叔敖母」、「晉伯宗妻」、「靈公夫人」、「晉羊叔姬」七個故事保存完整。其餘八個故事有三個只存一半，另五個則全失。這些古代婦女之所以受到表彰，皆因她們的道德或才能卓識，可為其他婦女作為學習的榜樣。顧愷之在表現這一題材內容時，繼承了漢代的同類題材的平列構圖佈局法。除少數道具外，沒有任何背景，這一點更多地保存了「古法」。但是在人物的面像和姿態上，卻加強了動勢和

圖》這題材由來很古，在漢代畫像石和出土的北魏漆畫中，都可以見到。這卷《列女仁智圖》為宋人摹本，中有缺損。此卷雖是摹本，卻依然保存着六朝時代風韻。而且在一定程度上反映了顧愷之的藝術水平。

**列女傳（仇英插圖）**

**《列女傳》** 西漢劉向（前77—前6）著。一部介紹中國古代婦女事跡的史書，全書共七卷，其中第三卷是《仁智傳》。

內心活動的刻畫；在人與人的關係上，加強了故事的內在聯繫。如衛靈公夫人一段，就非常生動。衛靈公和他的夫人南子夜坐，突然聽到闕門外有車子的聲音，南子説這是蘧伯玉來了，靈公問何以知之，南子答道：「君子不為冥冥墮行，伯玉，賢大夫也，是以知之。」等人進來一看，果然是蘧伯玉。畫中衛靈公坐於屏風內，身子向前傾斜，右手抬起，正是問話的姿態。南子一邊侍候，端正姿勢，正準備回答問題。從姿態的動勢和面部表情，可以看出她對自己的判斷充滿着信心。

又如孫叔敖母一段，描寫孫叔敖殺死兩頭蛇自知必死，哭着向母親訴説，其神態有着孩子受了委屈的幼稚特點。其母則刻畫得不唯外表美麗，衣着華貴，而且面相慈祥、和善。這就把一個有身份和有賢德遠識的婦女，表現得十分充分。

在中國古代繪畫理論中，顧愷之首先提出了「以形寫神」的觀點，在其著作中，總是反覆地強調人物畫表現人物的精神狀態和性格的重要性。從此圖可見，他在創作的實踐中努力追求這一主張，並且成績突出。

## 021 遊春圖卷

隋（581—618） 展子虔

絹本青綠設色，縱 43 釐米，橫 80.5 釐米

展子虔（生卒年不詳），渤海（今山東陽信）人。歷仕北齊、北周和隋。善畫道釋、人物、鞍馬，尤長畫宮觀台閣和山水。是一位承前啓後、繼往開來的繪畫大師，與晉顧愷之、劉宋陸探微、蕭梁張僧繇並稱為「顧、陸、張、展」。

**宋徽宗趙佶**
（1082—1135），宋朝第八位皇帝。書畫家，具有極高的藝術造詣。他利用皇權推動繪畫，使宋代的繪畫藝術有了空前發展。他還自創一種書法字體被後人稱為「瘦金體」。

《遊春圖》是一幅描寫自然景色為主的青綠山水，表現人們春天出遊的情景。畫家在不大的絹幅上以妥善的經營、細勁的筆法和絢麗的色彩，畫出了青山疊翠、花木蔥蘢、波

可惜這些圖畫早已湮沒無存，幸而有《步輦圖》傳世，得以略窺閻氏的藝術風格和成就。

《步輦圖》描繪的是貞觀十五年（641）正月，唐太宗會見吐蕃（今西藏地區）贊普松贊乾布派來迎娶文成公主的使者祿東贊的情景。文成公主遠嫁吐蕃，在多民族的大唐，表現了民族友好關係，是一件有歷史意義的大事。

畫的右方，唐太宗坐在由六位宮女抬着和扶着的步輦上，另有三個宮女掌着傘、扇。畫的左邊共有三人：紅衣虯髯者可能是宮中的典禮官，白衣年少者或為譯員，二人中間則為祿東贊。

《步輦圖》最突出的是生動而具體地表現了因人物的身份、性格不同而不同的精神氣質。典禮官沉着老練；譯員因地位低微顯得有些拘謹惶恐；其中，尤以唐太宗和來使祿東贊刻畫得最成功。

卷中的唐太宗李世民的形象，先用墨線勾出輪廓，眉、鬚、髮都一根根描出，然後用色渲染。眼睛向前平視，表情莊重。衣紋用筆簡練沉着，渲染不多。整個形象魁武、英俊。閻立本和唐太宗長期相處，對他比較了解。參照有關李世民的歷史記載，可以看出畫家不僅描繪了李世民的外形特徵，也表現了他的氣質和風度。祿東贊身穿小團花藏族服裝，拱手肅立，寬闊的前額有着深刻的皺紋。不但表現他遠道而來，僕僕風塵的狀態，也刻畫了他的民族面貌特徵。嚴肅、誠懇的表情，既表現了他對唐太宗的崇敬，也刻畫出他自我意識到所肩負的使命的重要。

此畫絹地重設色，用筆沉着，恰到好處地表現了這一莊重的場面。流利的鐵線描，表現了綢緞衣裳的質感。團花的描繪真實而華麗，也使祿東贊這一人物在畫面上顯得較為突出。

松贊乾布 （617—650），西藏吐蕃王朝立國之君。在位期間（629—650）平定內亂，統一吐蕃，定都拉薩。
祿東贊 （？—667）是吐蕃王朝重要政治家，曾任大相等官職，輔佐松贊乾布及其後代。

唐太宗李世民 （598—649），隴西狄道（今甘肅臨洮）人。唐朝第二位皇帝（626—649 在位），年號貞觀，是中國歷史上最有作為的皇帝之一。

## 023 揮扇仕女圖卷

唐（618 — 907）　周昉

絹本設色，縱 33.7 釐米，橫 204.8 釐米

周昉（生卒年不詳），字仲朗，京兆（今陝西西安）人。擅長宗教壁畫、人物肖像畫和仕女畫。他畫的宗教壁畫在當時被稱為「周家樣」。仕女題材的繪畫則繼承了張萱的傳統，所描繪的貴族婦女形象，體態豐腴，反映

了一張畫向後主交差，這便是傳世名畫的《韓熙載夜宴圖》。

《韓熙載夜宴圖》採用了顧愷之《洛神賦圖》的表現手法，主人公韓熙載在畫中反復出現五次，也就是通過五個場面來表現夜宴的全過程。

**李煜**　（937—978）（961—975在位），徐州彭城（今江蘇徐州）人，南唐（937—975）末代國君。精書法、工繪畫、通音律，尤以詞的成就最高，對後世影響深遠。

王屋山。王屋山擅長跳六幺舞，與李家明的妹妹最受熙載的寵愛。另外兩青年中有一位是熙載的門生舒雅。其他女子為歌舞伎。這段畫面的構圖安排，將演奏者置於一邊，聽眾集中另一邊，突出地描寫一個「聽」字。刻畫出在聽同一首樂曲時，不同身份、地位、性格的人的不同心理反映，體現出畫家觀察生活的細緻及高超的造型手段。

第二段「觀舞」。韓熙載親自擊鼓為王屋山伴奏。郎粲仍是那種沉醉於欣賞舞姿的神態。其他的人，或拍板，或擊掌，都在歡樂中。唯獨那個和尚，雙手抱於胸前，低頭不語，若有所思。以他的身份，在這樣的場面出現，已經是很不協調，

何況這副嚴肅的表情。畫家把他描繪下來，是頗含深意而發人深思的。據記載，韓熙載有一個最好的和尚朋友叫德明。當李後主要請熙載出來為宰相時，德明曾問他何以躲避國家的命令？熙載回答說：「北方的勢力正在強大，一旦正主出來，江南就會棄甲不暇，我不能去當這個亡國宰相為

千古笑端。」畫中很可能就是這位德明和尚。文獻沒有記載德明對韓熙載回答的反應，從畫中的形象來看他顯然對韓熙載的生活方式是有所規勸的，面對此情此景，他的沉思也許是想到，南唐真的快要滅亡了。

　　以後各段，分別是「休息」，畫韓熙載洗手休

息;「清吹」,畫韓熙載坐聽眾伎吹奏;「送別」畫韓熙載賓客與諸伎調笑的情狀。

　　作者採用分段敍述的佈局,段落之間,利用室內陳設之一的屏風作為間隔,又以人物顧盼作為聯繫,使之既有分段又成為不可分割的整體,自然而又巧妙。整個畫面用精細的鐵線描,筆力勁健,準確地塑造了各種物像的外形和質感。設色明麗,勻薄和厚重錯綜變化,五光十色,恰到好處地表現出夜宴場景的豪華奢麗和歡樂氣氛。

　　《韓熙載夜宴圖》在人物塑造和心理刻畫上,在線描技巧、構圖佈局和設色上,都代表着五代時期人物畫創作的最高水平。

4 清吹

3 休息

1 聽樂

5 送別

2 觀舞

全畫中 5 次出現韓熙載

## 026 高士圖卷

五代（907 — 960）　衛賢

絹本淡設色，縱134.5釐米，橫52.5釐米

衛賢（生卒年不詳），南唐宮廷畫院畫家，擅長畫樓台殿宇、盤車水磨及人物山水等，初學尹繼昭，後師法吳道子。《高士圖》是衛賢流傳至今的唯一作品。

《高士圖》描繪的是東漢梁鴻與孟光「相敬如賓，舉案齊眉」的故事。不過畫面內塑造孟光的形象並非如

這幅畫雖然以歷史人物故事為主題，但人物在畫中並不佔主要部位，而是以山水為主體。整個山峰樹石和房屋的佈置，緊湊嚴密。坡石、樹幹的皴法，帶有某些北方畫家如荊浩、關仝的特點，衛賢原是長安（今陝西西安）人，受他們的影響是有可能的。

對衛賢畫的山水，《宣和畫譜》的作者批評「其為高崖巨石，則渾厚可取，而皴法不老，為林木雖勁挺，而枝梢不稱其本，論者少之」。拿這段話與《高士圖》中的山水樹石相比較，似乎批評過當。此畫中的房屋及其台基和籬笆、柵欄，是界畫手法，非常精細合度，代表了衛賢在繪畫中的擅長。關於這一點，孫承澤在《庚子銷夏記》中說：「畫家言宮室入畫，須折算無差，乃為合作，束於繩矩，筆墨不可以逞，稍涉畦畛，便入庸匠，故自唐前不聞名家，至賢始工，今觀其畫信然。」

文獻所説的醜陋，當然也不是位美人，這是既不脱
離史實而又符合人們審美意願的藝術處理。

　　本圖雖為立幅，但裝裱成手卷形式，是北宋內
府「宣和裝」。

**舉案齊眉**

東漢年間，名士梁鴻和妻子孟光過着男耕女織的隱居生
活。每當梁鴻回家時，孟光總是將食盤托得跟眉毛齊平，
恭敬地送到梁鴻面前，以示尊敬。而梁鴻也很有禮貌地用
雙手去接。成語「舉案齊眉」即由此而來，意指夫妻恩愛，
相敬如賓。

**尹繼昭**
（生卒年不詳），唐僖
宗（873—888）時期畫
家。工畫人物、台閣，
冠絕當世。

# 027 瀟湘圖卷

五代（907 — 960）　董源

絹本設色，縱 50 釐米，橫 141.4 釐米

五代時期，中國山水畫的發展已進入成熟期。許多畫家在繼承唐代山水畫傳統的基礎上，通過深入觀察真山真水，創造了具有鮮明特色的山水畫作品。代表畫家有北方的荊浩及其弟子關仝；南方則有董源及其弟子巨然。荊、關以太行及關中一帶的山水為依據進行

董源（?—962），字叔達，鍾陵（今江西進賢）人，五代南唐時曾任北苑使，人稱「董北苑」。他創造了具有獨特風格的「江南畫派」，為我國山水畫的發展開闢了新的蹊徑，對後代特別是元、明、清的影響極為深遠。在畫史上佔有極為重要的地位。

本圖畫面上重山複嶺，林巒深蔚，煙水微茫，扁舟蕩漾；幾處沙磧平坡，其間蘆荻叢叢，水草簇簇，顯現出一片江南景色。畫中還有不少人物活動：江流一舟正在徐徐靠岸，舟中六人，身份各異；岸上有人迎接，前面是五人樂隊，面對來舟各奏笙管簫瑟；後面平坡處女子三人，二人着紫衣佇立，一人攜筐回顧。遠處有漁艇數艘，往來於沙汀蘆渚間，對岸數人正在拉網捕魚，人物雖小但意態生動。這些都使畫面具有濃厚的生活氣息。據明末

創作，善於以全景式的構圖描繪大山大水、巉岩陡壑、層巒疊嶂，表現了北方山水雄偉峻厚的氣勢。他們根據北方山巒少土多石的特點創造了「勾」「皴」「渾」「點」並用的筆墨技法。其作品給人以博大、雄厚的感覺。荊浩傳世作品《匡廬圖》、關仝傳世作品《關山行旅圖》即是其典型。董、巨則描繪南方山水，善於表現草木蔥蘢、秀潤多姿的江南湖山平遠景色。他們根據南方山巒多土、多樹的特點，創造了細長的「披麻皴」和「點子皴」，其作品給人以「平淡天真」的感覺。董源的《夏山圖》《夏景山口待渡圖》《瀟湘圖卷》，巨然的《秋山問道圖》是其傳世代表作。

董其昌在題跋中説，此畫是根據「洞庭張樂地，瀟湘帝子遊」這兩句詩來畫的。構圖用平遠法，近水遠山，天真平淡中略有幽深之趣。畫山石以花青運墨，人物施以重彩，巒頭及樹木多用「點子皴」法，坡岸山角多用「披麻皴」畫成，整個畫面顯現出一種奇古渾厚的氣氛。其遠近明晦處更是趣味無窮，畫家用他那高超技藝，恰當地表現了江南山川的容姿。面臨此畫，宛如置身於吳山楚水之中。

《瀟湘圖卷》輾轉流傳。清代入內府，溥儀出宮時帶往長春，抗戰勝利後流落民間。1952 年以重金從香港收回。

江流一舟正在徐徐靠岸，舟中六人，身份各異

堅、米芾等人相友善。後因與「元祐黨人」有牽連而被貶，憂鬱而死。王詵生前大量收集古今法書名畫，藏於「寶繪堂」，有較好的條件借鑑諸家名跡，加之深厚的文學修養和對生活的體驗，令其在山水畫方面藝術造詣之深非一般畫家所能比擬。正如《宣和畫譜》所說，他「寫煙江遠壑、柳溪漁浦、晴嵐絕潤、寒林幽谷、桃溪葦村，皆詞人墨卿難狀之景，而詵落筆思致，遂將到古人超軼處」。現存於世的王詵山水畫作品除《漁村小雪圖》外，尚有《煙江疊嶂圖》和《瀛山圖》，三件作品風格各不相同，以《漁村小雪圖》最能代表王詵的藝術水平和特點。

各種景物，遠近、大小比例關係大致都與自然形態相吻合。佈勢奇巧，開合有度，結構嚴謹而又虛實相生，給人以「咫尺千里」之感。筆墨設色也頗具特色，筆法精練，墨色清潤，整個畫面以墨筆勾皴和水墨暈染為主，又在山石、樹木及蘆荻頂端敷粉描金，表現了小雪後的漁村寒意之中尚有陽光的浮動。水天之際以水墨加螺青烘染，表現了寒溪的清澈和天色的空蒙，顯現一種江天寥廓似晴非晴之意。作者將李成、郭熙的水墨山水畫法與唐李思訓的金碧山水畫法加以結合，這在當時無疑是一種新的創造，所以當時人們對他有「不今不古，自成一家」之評。

此圖曾經宋宣和內府和清內府收藏。《宣和畫譜》《大觀錄》《石渠寶笈初編》著錄。溥儀後攜出宮，流落在長春。1950年惠孝同先生購得，後捐贈給故宮博物院。

**元祐黨人**

哲宗、徽宗年間，圍繞變法問題展開黨爭。因王安石變法發生在神宗元豐年間，而廢除新法發生在哲宗元祐年間，故支持變法的朝臣，被稱為「元豐黨人」，反對變法的朝臣則被稱為「元祐黨人」。

# 清明上河圖卷

032

北宋（960 — 1127）張擇端

絹本淡設色，縱 24.8 釐米，橫 528 釐米

張擇端的《清明上河圖》，以獨特的風格，高度概括的技術，真實生動地描寫社會生活各個方面，在畫史上贏得了崇高的地位，成為舉世聞名的不朽傑作。

　　《清明上河圖》描繪的是清明時節北宋都城汴京（今河南開封）東角子門內外和汴河兩岸的繁華熱鬧景象。

　　全畫可分為三段：首段寫市郊景色，疏林薄霧，茅簷低伏，阡陌縱橫，楊柳新綠；其間人物往來，有進城送炭的毛驢小隊，有出城的旅人，以及掃墓歸來的轎乘等。畫出了特定時間內特有的風俗，直接點醒了題目。

　　中間那座規模宏敞、狀如飛虹的木結構橋樑，概稱「虹橋」，正名「上土橋」。中段以上土橋為中心，另畫汴河及兩岸風光。汴河是宋代的國家漕運樞紐。畫面上那滿載貨物的巨大漕船，一艘緊接一艘；碼頭上裝卸貨物，繁忙而緊張，正是汴河所擔負的重任的形象寫照。橋上車馬來往如梭，商販密集，行人熙攘。橋下一艘漕船正放倒桅桿欲穿過橋孔，艄公們的緊張工作吸引了許多群眾圍觀。畫家在這一水陸交通的匯合點，安插了許多戲劇性衝突情節，使人看來饒有興味。

　　**張擇端**　（生卒年不詳）字正道，東武（今山東諸城）人。宋徽宗年間的畫院待詔，擅畫市橋、郭徑、舟車等，作品有《西湖爭標圖》《清明上河圖》，都為時人選為神品。

　　後段描寫的是市區街道。其中心有一座高大的城門樓,名叫東角子門,位於汴京內城東南。門外第一座橋便是上土橋。城門兩側,街衢交錯,房屋鱗次櫛比。有各種商店,大店門首還扎結着彩樓歡門;小的鋪子,僅只是一個敞棚。此外還有公廨寺觀等。街上行人,摩肩接踵;車馬轎駝,絡繹不絕。行人中有紳士、官吏、僕役、販夫、走卒、車轎夫、作坊工人、説書藝人、理髮師、醫生、看相算命者、貴家婦女、行腳僧人、頑皮兒童,甚至還有乞丐。他們的衣冠有着等級,同在街上,而忙閒不一,苦樂不均。城中交通運載工具,有轎子、駝隊、牛馬、驢車、人力車等。車子有串車、太平車、平頭車等諸種名目。全卷畫面,內容豐富生動,集中概括地再現了 12 世紀北宋全盛時期都城汴京的生活面貌。

　　此畫用筆兼工帶寫,非常老練。設色淡雅,不

同一般的界畫,即所謂「別成家數」。構圖採用鳥瞰式全景法,真實而又集中概括地描繪了當時汴京東南城角這典型的區域。作者用傳統的手卷形式,採取「散點透視法」來組織畫面。畫面長而不沉,繁而不亂,嚴密緊湊,如一氣呵成。畫中所攝取的景物,大至寂靜的原野,浩瀚的河流,高聳的城郭;小到舟車裏的人物,攤販上的陳設貨物,市招上的文字,絲毫不失。在多達五百餘個人物的畫面中,穿插各種情節,組織得有條不紊,同時又具有情趣。作者善於觀察生活,同時也善於從生活中發掘那些富於詩意、富於戲劇性矛盾衝突,並將它化為藝術形象,其概括和組織才能是令人驚異的。整個畫面步步變化,使觀者目不暇接,而且每看每異,每次都有新的感受和發現,覺得畫幅後面,還有更加廣闊的天地,畫有盡而意無窮。

秋水廻波

雲生蒼海

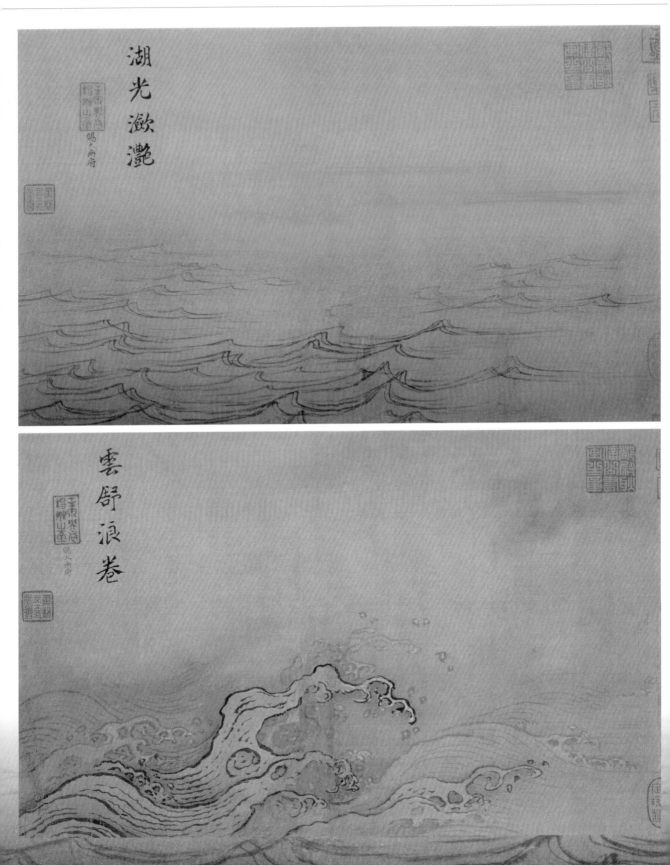

# 大儺圖軸

034

南宋（1127 — 1276）　佚名

絹本設色，縱67.4釐米，橫59.2釐米

　　描寫民間風俗習慣的繪畫在宋代得到特別發展，《大儺圖》就是一幅風俗畫。畫面上共畫有十二個人。他們都穿着奇異的服裝，戴着各式的帽子和花枝。帽子的式樣毫不重複，除了斗笠、巾和冠之外，有的帶着粗角的獸頭，有的是農家場院器具斗、籮、箕之屬。他們的手中或身上攜拿着鼓、鈴、檀板等樂器，或為扇、簍、帚等用具，或為花枝、瓜之屬。所有人的面部都化了裝，也可能戴的是假面具。十二個人團團圍住，手舞足蹈，充滿着歡樂的氣氛。

　　儺（音挪），是一種古老的驅除癘疫的民間習俗。《論語》中就有「鄉人儺」的記載。《後漢書》記載：「先臘一日，大儺，選中黃門子弟，十歲以上十二歲以下百二十人為侲子。」唐代《樂府雜錄》中描寫說：「用方相四，戴冠及面具，黃金為四目，衣熊裘，持戈揚盾，口作儺儺之聲，似除也。侲子五百，小兒為之，朱褶青襦，戴面具，晦日於紫宸殿前儺，張宮懸樂。」這些描述與畫上的情況基本相似。當然到了宋代，儺時的具體情形和細節，又會有許多的發展變化。從畫面情形來看，其中增加了許多農具，可見這種古老的習俗，到了宋代除了驅除邪崇之外，還有祈求豐收的意味，同時也是一種民間娛樂活動。所以此幅畫，從藝術到內容，都值得珍視。

**《後漢書》**

記載東漢歷史的書，由南朝劉宋時期的歷史學家范曄（398—445）編撰。與《史記》《漢書》《三國志》合稱中國「前四史」。

表現技法，對明、清兩代畫壇的影響極大。黃公望被推崇為「元四家」之首。

黃公望（1269—1354），本姓陸，名堅，常熟人，出繼永嘉（今屬浙江）黃氏為子，因改姓名，字子久，號一峰、大痴道人等。工書法，善散曲，通音律，最精於山水畫，常隨身攜帶筆墨，在虞山三泖、富春等處領略自然勝景，隨時摹記。其水墨畫有「峰巒渾厚，草木華滋」之評。設色多用淺絳。他還總結前人及自己的創作實踐經驗，寫有《畫山水訣》一文。

溪澗自然延伸和山頂上渺溟的天空，使得畫面增強了空間感，避免了擁塞，做到了實處更實，虛處更虛。

此圖用筆也極為精湛凝練，樹木房屋多用篆籀筆法，圓健而勁挺，山石多用草書筆法，疏秀清潤中含蒼茫渾厚，做到了筆無虛發，逸趣無窮。

此圖畫法是在一幅素絹上，用筆墨輕輕勾出景物的輪廓，並用深淺不同的墨色皴、擦、點、捽，或以很淡的墨色暈染山石，以加強山石的層次和立體感，再用破墨暈染天地，於是未染墨色的絹地便呈現出晶瑩潔白的雪景。這就是黃公望的名言——「冬景借地以為雪」的畫法。他存世的另外兩本雪景山水《快雪時晴圖》、《剡溪訪戴圖》，也是用的這種畫法，同樣取得了極佳的藝術效果。

此圖右上方自題：「至正九年春正月，為彥功作雪山，次春雪大作，凡兩三次，直至畢工方止，亦奇事也。大痴道人，時年八十有一，書此以記歲月云。」知此圖作於1349 年，是畫給元代著名文人班惟志（字彥功）的。

**九峰**

指上海松江西北的「鳳、陸、佘、神、薛、機、橫、天馬、崑」等九座山峰。

# 秋亭嘉樹圖軸

元（1271 — 1368）　倪瓚

紙本墨筆，縱 134 釐米，橫 34.3 釐米

038

在「元四家」山水畫中，倪瓚以「幽淡簡勁」的畫風而著稱。元以後的許多文人畫家和評論家把他的繪畫視為「逸品」，加以師法和推崇。當時江南文士家中以有無懸掛倪畫而分雅俗。

倪瓚（1301 — 1374），字元鎮，號雲林、幼霞等，無錫（今屬江蘇）人。其家為當地豪富，喜與名士往來。因元末社會動蕩，賣去田廬，散其家資，浪遊於五湖三泖間，寄居村舍、寺廟，因而有「倪迂」之稱。工詩、書，擅長畫山水竹

《秋亭嘉樹圖》是倪瓚晚歲之作。幅中近岸坡陀平阪間畫嘉樹三株，木葉凋零，樹下茅亭一座，修竹數竿。對岸畫遙嶺遠山，中間是廣闊的湖面，湖心有隱隱淺灘。整個畫面表現了深秋季節的蕭索氣氛。結合畫幅自題詩，明顯地反映了畫家避俗遁世、浪跡江湖、寄情山水的思想感情，而且還帶有幾分禪意。

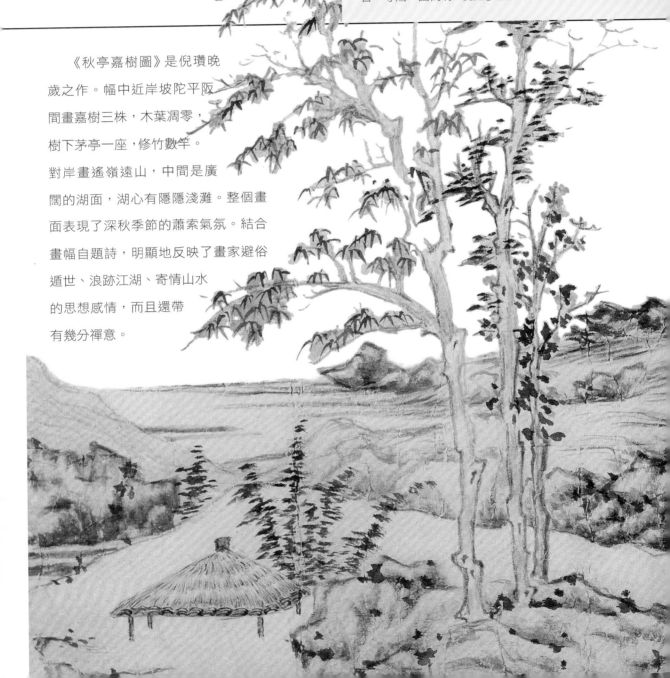

好，推動了文人畫的進一步發展。

　　沈周（1427—1509），字啓南，號石田，長洲（今江蘇蘇州）人。出身於世家。詩、文、書、畫無所不工。他常以詩文交結權貴，本人卻過着超然在野的生活。他的書法學習宋代黃庭堅，筆法蒼勁挺健；繪畫除受業於當代名家外，還從多方面摹習古人，尤其對師法董源、巨然以及元代黃、王、吳、倪四大家有較深的造詣。他曾遊歷太湖流域各地，接受大自然的啓迪。在繼承傳統的基礎上變化出入於諸名家法度，形成自己的獨特風格。尤其是晚年善於用粗筆中鋒，筆力圓潤挺健，設色厚重凝練，風韻雄渾蒼勁，為「吳門派」山水畫的形成和發展奠定了基礎。他還擅長花卉雜畫，寫意兼工，亦頗有意致，且為白陽山人陳淳的寫意花卉開創了先河。沈周一生創作了大量繪畫作品，至今仍有不少精品存世，《仿黃公望富春山居圖》卷就是其中之一。

結構也略有分別，筆墨卻完全不同，且着了色彩，純屬於沈周自家面貌。實際是沈周根據黃氏《富春山居圖》的規模進行了藝術的再創造。畫家在八米多的巨幅上畫出了層疊起伏的山巒，遼闊浩淼的江天，依勢又佈置了岡阜平灘、汀渚港汊、樓閣亭榭、平橋曲徑、農舍漁舟。所畫人物不多，三五幽人策杖於小橋、山徑，二三漁父垂釣於舟中，還有一人在水邊茅亭觀鵝。整個畫面充分表現了富春江兩岸

明媚秀麗的景色。

　　沈周仿作此圖時是六十歲，對於這位長壽的畫家來說這是他的中晚年時期，也是他繪畫生涯最盛期的作品。其時沈周自家風格已經形成，因而此圖在筆墨設色方面具有沈周繪畫成熟時期的面貌。畫面從起手到收尾，樹、石、建築、人物多用禿筆中鋒，山石多用長短相兼的「披麻皴」，坡岸處偶用側鋒皴、擦。用臥筆畫苔點樹葉，乾濕濃淡都掌握得恰到好處，在水墨畫基礎上又施丹青。根據景物的遠近形質不同，或渾以花青，或敷以淡赭，天空與江水多留下空白，不施墨色。整個畫面筆力圓渾蒼健，設色沉厚凝練，氣勢博大，不愧為開派名家的大手筆。所以董其昌在題跋中稱此圖「信可方駕古人而又過之」，並非過譽。

# 綠蔭長話圖軸

042

明（1368 — 1644）　文徵明

紙本墨筆，縱 131.8 釐米，橫 32 釐米

明代中期畫壇，沈周之外，文徵明是成就最突出、影響最大的文人畫家。可以說沈周是「吳門派」畫風的奠基者，文徵明則是形成「吳門派」畫風的主將。

文徵明（1470—1559），原名璧，字徵明，後以字行，改字徵仲，號衡山。長洲（今江蘇蘇州）人。出身仕宦之家，早年學文於吳寬，學書於李應禎，學畫於沈周。詩、文、書、畫同名一時。繪畫方面與沈周、唐寅、仇英並稱為「吳門四家」。擅長畫山水、人物、蘭草、竹石等。

文徵明勤於創作，留下了大量作品，存世的精品很多。《綠蔭長話圖》是他晚年水墨山水畫代表作之一。

此圖是窄而長的立幅，畫家以巧妙的構思，縝密的經營和細勁的筆墨描繪出盛夏季節的山林景色。圖中山嶺巍峨、岩崖險峻、長松挺秀、翠柏森森、飛瀑倒洩、疊泉湧流。在山水樹石之間，小橋橫跨溪澗，沿着盤環的山徑，有水閣草堂和茅屋村舍，還有寺觀一所，屋頂隱隱可見。畫面充滿了清幽靜謐的氣氛。圖中三人，一童子攜琴過橋，池旁樹蔭之下的平坡對坐兩位文人，一人手中握軸，一人正在雙手展卷，似在朗讀卷中的詩文，或賞玩書畫。人物雖小，但使觀者一眼就可看出他們的身份。圖中作者自題詩：「碧樹鳴風澗草香，綠蔭滿地話偏長。長安車馬塵吹面，誰識空山五月涼。」詩

他的山水除師法沈周外，又對宋、元名跡悉心研習，在繼承傳統的基礎上能獨具面貌。而且風格多樣，無論是青綠、水墨，粗放、精細都具功力。用筆勁健細密，墨色清潤淡雅，風格纖細秀逸。其創作題材多表現文人雅士的閒情逸趣。

文徵明長期生活在工商業較為發達、文人薈萃的蘇州，交往名流，與他們詩文書畫來往，一時成為「風雅」之士的中心人物。他的子孫弟子數十人，均從事書畫創作，成為「吳門派」的中堅和後勁。

的內容是畫家厭惡官場、寄情山水、避俗自逸的思想感情的表露，反映了當時一部分在野文人的生活和思想情趣。

此圖在表現技巧上用「高遠」構圖法，並根據窄長立幅的特點，採用縱向散點透視，前後數層景物盡收於圖，使得畫面境界縱深，山勢高聳，但又不是一覽無餘。通過對天空、池水、平坡、山徑以及山石突兀處的留白不皴或少皴，使得畫面結構複雜嚴謹中又疏秀虛靈。畫家還巧妙地利用山勢的延伸，樹石、崖坡、曲徑等的掩映，把觀者的視線逐步引入層層幽境。使觀者忽而如置身於深山峽谷，忽而如登臨高嶺雲表，忽而如漫遊於溪畔、泉邊。

此圖筆墨極為精細勁健，山石樹幹多用枯筆乾擦，松針細寫，柏葉精點，紋理清晰，層次分明，細而不纖弱，繁密而不雜亂。勾、皴、點、染、捽等，筆筆都交待得十分清楚，真正做到了筆不虛發，墨不妄施，筆筆恰到好處的藝術佳境。面對此圖，不能不對文徵明的繪畫藝術造詣感到由衷的欽佩。

043

# 事茗圖卷

明（1368 — 1644）　唐寅

紙本設色，縱 31.1 釐米，橫 105.8 釐米

唐寅（1470—1523），字伯虎，一字子畏，號六如居士、桃花庵主等，吳縣（今江蘇蘇州）人。少時以文學聞名鄉里，與文徵明、祝允明、張靈、徐禎卿等並稱為「吳中俊秀」，風流自賞。後無辜受科舉舞弊案牽連，被終身取消考試資格。從此專事詩文書畫創作，優遊林下，玩世不恭，終其一生。

　　唐寅早年曾從同郡老畫師周臣學畫，不久他的技藝就超過了老師，名聲遠揚。他的畫既有傳統，又有創造，清新秀逸，風流灑脫，富有書卷氣。山水樹石，取法李唐，而不在全似，善師法古人。創作中，他是一個全才，山水、人物、花鳥，皆精絕，為「吳門四家」之一。

　　《事茗圖》是一幅不可多得的唐寅作品。近處山崖陡立，巨石箕踞。山崖巨石間，溪流曲折，細浪縈洄。岸邊茅屋數椽，屋前雙松挺立，蒼翠凌雲。屋後綠竹成蔭，回環掩映。遠處煙靄之中，峰巒秀起，山間飛瀑鳴濺，山下泉水潺湲。整個景物的佈置井然有序、層次分明、清幽舒暢、雅靜宜人。在茅屋正廳，倚牆書籍畫軸滿架，一人正對案讀書，案上置壺盞。後廳側室內，童子在烹茶。屋外有板橋橫過小溪，一人策杖來訪，身後童子抱琴相隨。

畫後餘紙有行書五絕一首，詩意與畫境相結合，所表現的正是當時士大夫們「不求仕進」「優遊林下」的理想生活情趣，是一幅主題鮮明的創作。

　　此圖在畫法上用筆瘦勁、沉着活潑。人物雖着墨不多，而神態生動。松樹和山石的造型及皴法，明顯受到北宋李成和郭熙的影響，可見他對前人經驗的繼承不限於李唐。但具有這種筆法特點的作品，在唐寅眾多的作品中並不常見。

# 明妃出塞圖冊頁

**044**

明（1368 — 1644）　仇英

絹本設色，縱 41.4 釐米，橫 33.8 釐米

仇英（約 1505—1552），字實父，號十洲，原籍江蘇太倉，寓居蘇州。據説仇英早年曾當過漆工，到蘇州後為名畫師周臣收為弟子，遂以繪畫作終身職業。他曾在大收藏家項元汴家長期從事臨摹複製和修補古畫的

《明妃出塞圖》是仇英所作十開《人物故事圖冊》中之一幅，內容是關於王昭君的故事。工筆重彩，用線極為工細，人物形象的塑造十分優美，可説是仇英的代表作品。

**昭君出塞**

指的是西漢元帝時，為與匈奴單于和親，宮女王昭君遠嫁漢北塞外的故事。王昭君本名王嬙，字昭君。晉代為避司馬昭的名諱，改稱其為王明君、明妃。

工作。所複製的古畫往往可以亂真。由於他的天賦和勤奮努力，加上臨摹和觀賞了大量的古代名畫真跡，所以他的創作，於山水、人物、花鳥、樓台等各種畫科無不擅長；工筆、寫意、設色、白描等各種畫法都很絕妙。尤其他的仕女畫，為一代典型，在當時和後代極受鑑賞家所推重。他以微賤的出身，在生前就能享有大名，並與沈周、文徵明、唐寅並列，稱為「吳門四家」，完全是由於他有着非凡的繪畫天才與成就。

# 墨花九段圖卷

O45

明（1368 — 1644） 徐渭

紙本墨筆，縱 46.6 釐米，橫 625 釐米

齊白石老人題畫詩云：「青藤雪箇遠凡胎，缶老當年別有才，我願九泉為走狗，三家門下轉輪來。」老人最崇拜的這三位中國寫意畫大師，頭一名便是徐渭。

徐渭（1521—1593），字文長，號青藤、天池，別

之際「天崩地解」的時代，思想上受到了很大的衝擊，因而在藝術上也有明顯的反映。他們的繪畫藝術在畫壇上地位重要，其影響所及直至現代。

**「四王」**
指清朝初期四位畫家：王時敏（1592—1680）、王鑑（1598—1677）、王原祁（1642—1715）和王翬（1632—1717）。他們在藝術思想上的共同特點是仿古，把宋元名家的筆法視為最高標準。因受到皇帝的認可和提倡，而被尊為「正宗」。「四王」以山水畫為主，影響後世三百餘年。

上松石喬柯疏疏落落，池中拳石墩墩，蒲草簇簇，池邊柳樹扶疏。整個畫面寧靜清幽，展現了一處幽居的佳境。臨圖如置身於水村山郭之中。

　　此畫在構圖上採用中景「高遠」法，以左開右合的格局，將大部分景物安排在畫幅的左半部，右邊只以高低不同的三兩山峰及坡石水草襯托，把遠景留在畫外，大片池水與天空留白，清曠中不失嚴謹，給人以天高水闊、山秀亭幽之感。

　　此圖筆墨清勁古雅、沉着穩靜，用筆以枯筆為主，多用「披麻皴」，偶亦用「摺帶皴」法，以臥筆點苔。雖全用水墨畫成，但畫家極為熟悉筆墨本身所包含的各種色調，以墨的濃、淡、潤、燥表現出各種物體在畫面中的層次關係。表明弘仁不僅有極深的功力，而且不拘泥於古法，在傳統山水畫的技法基礎上，把自然景物當作繪畫創作之源。因此他的作品既不背傳統山水畫之法，又合自然景物之理。

　　整體而言，《陶庵圖》代表了弘仁晚年山水畫藝術的基本特色，是一幅不可多得的佳作。

# 仙源圖軸

**049**

清（1636 — 1911）　髡殘

紙本淡設色，縱 84 釐米，橫 42.8 釐米

在明末清初的畫壇上，髡殘先是與青谿道人程正揆齊名，稱為「二谿」。畫家龔賢曾比較「二谿」的藝術，認為石谿的畫「粗服亂頭」，好似王鐸的書法；青谿的畫「冰肌玉骨」，好似董其昌的書法。在書法上首先應當推崇的是王、董二人，而在畫法上則應當推崇「二谿」了。後石濤崛起畫壇，為一代大師，於是「二石」並稱，而石濤本人也非常崇敬石谿。

所謂「粗服亂頭」，是比喻不事修飾雕琢，任其純樸自然的藝術風格。石谿的山水畫創作，學習了元代王蒙、黃公望的筆法和章法而加以變化。他的章法特點是繁密複雜，構圖妥貼平穩，不以新奇出勝，而以渾厚嚴謹見長；筆法蒼勁、凝重，欲去還留，欲收還放，如綿裹鐵，似錐畫沙。所以欣賞石谿的山水畫，如讀蘇東坡的「大江東去」，雄壯、豪邁、深沉、痛快，有一瀉千里之勢。其畫面高山巨壑、疊巘層巒、煙雲氤

程正揆《深谷幽居圖》

**程正揆**（1604—1676）別號青谿人、青谿老人等，孝感（今屬湖北）人，明末清初畫家、書法家。

髡殘（1612—約1692），俗姓劉，武陵（今湖南常德）人。出家為僧後法名髡殘，號石谿、石道人等。他是一個具有強烈民族思想感情的和尚畫家。清兵南下時，曾參與抵抗運動，失敗後逃入桃源深山，過着異常艱苦的生活。後雲遊四方，來到南京定居。先後掛錫報恩寺、棲霞寺、天龍古院，最後落腳牛首祖堂山幽棲寺。他為人性格耿直，寡交遊，所與往還者，盡是明代遺民。由於他的愛國熱情始終不衰，在遺民中威望很高，受人敬重。

氳、草木蓊鬱、雄渾壯闊、氣象萬千。所以評論家張庚認為，他的作品「奧境奇闢，緬邈幽深，引人入勝」，並慨歎「此種筆法不見於世久矣！」

《仙源圖》作於順治十八年（1661），髡殘時年五十歲，正是他藝術創作精力最旺盛時期。畫名「仙源」是摘錄自他畫中題詩的頭兩個字，其實他畫的並非仙境，而是對黃山風景的概括描寫。畫面近處樹色莽蒼，遠處崇山崒嶂，中間煙雲繚繞，隱約中露出琳宮梵宇。筆法蒼老粗豪，墨與色渾然一體。畫前還有一條小溪，一人正划船欲出，畫中題詩有句云：「我今一棹歸何處，萬壑蒼煙一泓玉。」顯然是石谿自己的寫照。詩中表達了他對山水的無限熱愛，而畫面所體現的祖國山河無限壯麗的美景，正是他寄托「老去不能亡故物，雲山猶向畫中尋」的民族思想感情。

050

# 貓石圖卷

清（1636 — 1911）　朱耷

紙本水墨，縱 34 釐米，橫 218 釐米

朱耷（1624—1705），譜名統鍌，明宗室後裔。明亡後出家為僧。一生字、號、別號甚多，五十九歲開始在書畫作品上署名「八大山人」，自此「八大山人」之名盛行於世，卒年八十歲。

國破家亡之悲痛，高壓政策下的逼害，使八大山人

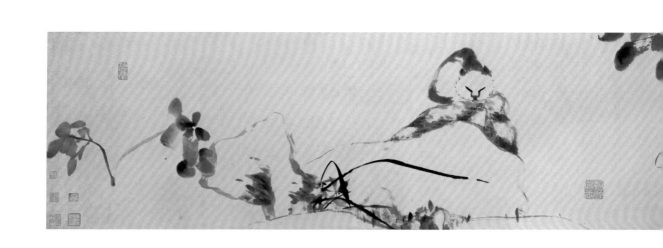

八大山人最擅長的是潑墨淋灕的水墨寫意花鳥畫。筆致瀟灑，作風潑辣。在掌握生宣紙的性能和控制水分，發揮水墨寫意特長上，是在繼承陳淳、徐渭的基礎上進行了進一步的發展創造。其筆墨圓渾、滋潤、厚實、精練簡括而

富於變化，使後學追隨者難以企及。其魚鳥造型多誇張，題句多冷澀難解。可見其人孤傲不群、倔強不屈的性格。

《貓石圖》作於清康熙三十五年（1696），畫家時年七十一歲。畫面開首畫玉簪一枝，

經常佯裝瘋癲於市上。然而所作書畫，卻異常冷靜。其山水，筆法源出於明末董其昌，意境荒寒蕭瑟，淒涼滿目，曾有題句「一峰還寫宋山河」，寄意深遠。所署「八大山人」四字，筆畫勾連，猛然視之，既似「哭之」，又似「笑之」，可謂「哭笑不得」，滿腔悲憤的家國之痛，由此可知一二。

八大山人（靳尚誼作）

接着畫荷花、荷葉，再畫岩岸塊石，有蘭花數莖，石上臥一花貓，閉目俯伏，寥寥數筆，其顛頂慵懶，憨態可掬。末尾寫茶花一枝。整個畫面所畫各種事物，極為概括簡略，用筆幾乎可數，然而卻無空闊疏簡之感。無論花石，還是睡貓，均生動有趣，堪稱八大山人的佳作。

# 巨壑丹岩圖卷

051

清（1636—1911）　石濤

紙本淡設色，縱 104.5 釐米，橫 165.2 釐米

石濤（約 1642—1718），俗姓朱，譜名若極，明室後裔。清兵過江，南明滅亡時，年幼的石濤為人攜走逃匿，後削髮為僧，法名原濟，字石濤，別號苦瓜和尚。晚年定居揚州，以賣畫為生。

石濤是山水畫大師，不但有豐富的創作經驗，而且有自

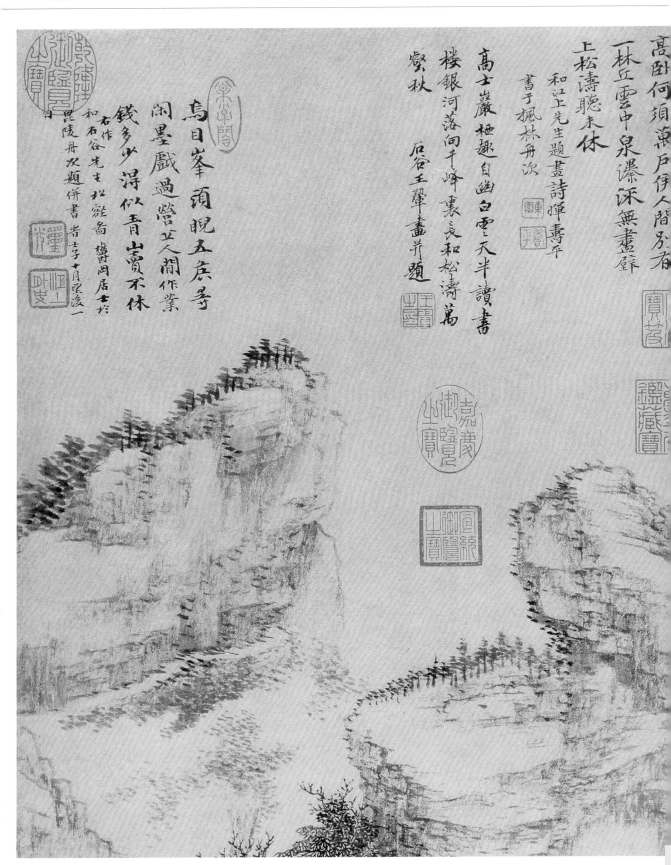

高卧何須蓬戶伊人間另有

一林立雲中泉瀑深無盡壁

上松濤聽未休

和江上先生題畫詩惲壽平

書于楓林舟次

高士巖栖趣自幽白雲天半讀書

樓銀河落向千峰裏長和松濤萬

壑秋

石谷王翬畫并題

烏目峯頭睨五彦尋

閒墨戲過營止人間作業

錢多少得似青山賣不休

石作石谷先生松巘為樵曹岡居士栒

和石谷先生松巘為樵曹岡居士栒

昆陵舟次題併書岢士子十月張渡一

題內容，可以體會到笪、惲、王寄興山水的「幽情逸趣」。

此圖採取「高遠」構圖法，表現出高山大嶺的氣勢。結構嚴謹而不擁塞，中部的一潭湖水和天空的留白，使得畫面具有很強的空間感。衝天的長松又把近坡與遠山加以連接，增強了畫面的整體感。畫家不拘泥一種筆法，如山石的皴法，斧劈、披麻、折帶諸皴並用，枯、濕、濃、淡兼施，使得畫面富於層次感和立體感。由此更可以看出畫家傳統功力的深厚，代表了畫家中年時期典型的風格，是其中年山水畫中的精品。

此圖曾收入清內府，有乾隆、嘉慶諸璽，曾著錄於《石渠寶笈》。

# 哨鹿圖軸

053

清（1636—1911）　郎世寧

絹本設色，縱 267.5 釐米，橫 319 釐米

郎世寧（Giuseppe Castiglione, 1688—1766）生於意大利米蘭，康熙五十四年（1715），二十七歲的他來中國傳教，召入內廷，在畫院處當差。卒於中國，享年七十八歲。葬於北京西郊石門教堂，建碑，刻御製文。贈工部侍郎。郎世寧的後半生五十餘年在皇帝的左右作畫，他適當地改變歐洲畫法，不用投影，減弱明暗對比，保留立體效果和焦點透視法等；並和中國畫家合筆作畫，使中西畫法逐漸融為一體，創造了一個新的畫法。傳世作品有人物、鳥獸、花卉的大小畫幅、卷、冊，軸，樣樣俱全。多數作品是反映皇帝政治、文化、藝術、生活等情景，也有不少是表現民族團結和統一鞏固的多民族國家政治活動的圖畫，《哨鹿圖》就是其中之一。

《哨鹿圖》是乾隆六年（1741）皇帝到木蘭行圍（即打獵）的實況記錄。畫面最前行列的第三人，佩帶紅錦「撒袋」（即裝弓的袋）騎白馬的就是乾隆皇帝，這一年他三十歲。乾隆三十九年（1774），他在《御製題寫照哨鹿圖》中說，此圖是辛酉年（即乾隆六年），他第一次到木蘭行圍時命郎世寧畫的。當時扈從的大臣們，比他年長的有來保等很多人；比他年少的有傅恆等，共十二人，而今天這些人都已死了，所以很有感慨。按來保在乾隆六年時，是總管內務府大臣。傅恆在當時是御前侍衛。來保於乾隆

二十九年（1764）卒，是武英殿大學士。傅恆後來官居保和殿大學士，封忠勇公。前列中沒有鬍子的一人可能是傅恆，至於來保就無法指出了。

木蘭在熱河北部。這個地方周圍一千三百里，南北寬二百里，東西長三百里，是一個原始森林覆蓋的山嶽地帶。獸類很多，鹿尤其多。從康熙四十八年（1709）建造避暑山莊行宮，到嘉慶二十五年（1820），皇帝每年（其間也有間斷）率領王公大臣、八旗護軍、內外蒙古和北方各少數民族到木蘭行圍四十餘日。在行圍期間，哨鹿是活動

之一。哨鹿是預先命人吹號角仿效鹿鳴,可以引來很多鹿。這幅畫是描繪行圍的全體行列剛剛進入木蘭山區的景象。乾隆和近景的一些主要人物,都具有西法肖像畫的特點,可以看出是寫生的作品。衣物馬匹刻畫精細入微,立體的質感很強,但明暗的反差相當柔和,與純粹中國畫法的背景山樹統一和諧。大隊人馬在行進中的氣氛生動逼真,由於遠近人物的比例適中,就更增加了畫面的深遠。乾隆皇帝和領侍衛內大臣、御前侍衛等一行近景人物,當然是郎世寧畫的。但這樣的大畫不可能一人完成,當時畫院常有通力合作的畫,這幅畫也不例外,必定有中國畫家以及法國畫家王致誠等人參與其中,是一幅中西畫家合作的巨畫。

054

# 蓼汀魚藻圖軸

清（1636—1911）　惲壽平

紙本設色，縱135釐米，橫62.6釐米

惲壽平（1633—1690），初名格，字壽平，後以字行，更字正叔，號南田，別號東園生、白雲外史等，武進（今江蘇常州）人。擅畫山水花卉。山水風格超逸，小品尤佳。其靈秀之氣非一般畫家所能及。他的花卉畫比之山水畫成就更為突出。他繼承和發展了北宋徐崇嗣的「沒骨花」法，並吸收明代畫家沈周、文徵明、唐寅、陳淳等人花卉畫法的長處，加之他自己對各種花草的仔細觀察和體會，創造了一種筆墨秀逸、設色明淨、格調清雅的「惲體」花卉畫風。在清初畫壇上別開生面，一洗時習，使得明代末

《蓼汀魚藻圖》是惲壽平晚年花卉代表作。畫中清池一泓，游魚三尾，水底荇藻隱約迷離，似乎在隨着水底暗流浮動旋轉。近水坡岸秀石玲瓏剔透，石後竹枝吐翠，蘆荻花黃，兩枝盛開的紅蓼低垂水邊，與池水魚藻相掩映。左上方自題：「青山園池蓼花

# 陶瓷

056 青釉堆塑穀倉罐　190

057 魯山窯花瓷腰鼓　192

058 定窯白釉孩兒枕　194

059 景德鎮窯青花釉裏紅鏤雕蓋罐　196

060 青花把手杯（獅球心）　198

061 鬥彩葡萄紋高足杯　200

062 五彩鏤空雲鳳紋瓶　202

063 德化窯白釉達摩像　204

064 五彩加金鷺蓮紋尊　206

065 五彩蝴蝶紋瓶　208

066 琺瑯彩雉雞牡丹紋碗　210

067 粉彩牡丹紋盤口瓶　212

068 黃地粉彩鏤空干支字象耳轉心瓶　214

069 古銅彩犧耳尊　216

070 各種釉彩大瓶　218

# 陶　瓷

中國是世界聞名的陶瓷古國，素有「瓷國」之稱。

早在一千八百年前的東漢時期，浙江上虞已燒出成熟的青瓷。這種瓷器以鐵為着色劑經高溫燒成，色如碧玉、光似海天。在悠久的瓷器燒造歷史中，青瓷燒造延續的時間最長。六朝時期，是浙江地區青瓷的發展階段，瓷窯廣佈，瓷器質量提高。如紹興出土的吳永安三年「青釉壇」，是一件富於裝飾意趣的早期青瓷代表作品。南北朝時，由於佛教的傳入影響，青瓷紋飾出現了蓮瓣紋、忍冬紋等具有外來文化因素的紋飾，經過長期的吸收融合，逐漸發展變化，後來成為中國的民族形式。

隋、唐、五代是中國社會的重大發展時期，出現了繼漢代而興起的經濟、文化發展高潮。陶瓷工藝方面也取得了輝煌的成就。白瓷經隋代的發展到唐代而成熟，形成了唐代瓷業「南青北白」的局面。唐代瓷業，南方各窯仍以繼續燒造青瓷為主，出現了唐人陸羽在《茶經》中所稱述的越州、鼎州、婺州、岳州、壽州、洪州等名窯。唐代白瓷以北方邢窯最有名，其他產地還有河北曲陽、河南鞏縣、密縣等處。負有盛名的三彩陶器，以及絞胎、花釉、釉下彩等新興品種的出現，使陶瓷裝飾藝術別開生面。唐代陶瓷的裝飾特點在於向多樣化發展，色彩絢爛的唐三彩，是利用釉

質流動的特性製作而成的鉛釉陶器。湖南長沙窯釉下彩的發明，首創了在胎上畫彩，然後上釉燒成的技術。它是繪畫藝術與陶瓷工藝相結合的產物，成為宋代磁州窯釉下彩繪以及後來的青花、釉裏紅的先導。在唐代陶瓷品目繁多的造型、釉色之中，河南一帶的花釉裝飾別具一格。魯山窯花瓷拍鼓，在黑釉上潑出大塊藍斑，利用釉的流動使之呈現類似窯變的藝術效果。唐、五代陶瓷業的發展為宋代瓷業的繁榮提供了良好條件。

入宋以後，官營、民營陶瓷業同時發展。到北宋中期，陶瓷工藝進入鼎盛階段，出現了定、汝、官、哥、鈞五大名窯。其中定窯創立較早，始燒於唐代。汝、官、哥、鈞各窯以造型和釉色作為美化瓷器的手段，惟定窯運用刻花、劃花、印花紋樣裝飾。本書所選的定窯「孩兒枕」即是一件形象生動的雕塑藝術品。北宋民窯中河北磁州窯最有代表性，產品以濃郁的民間色彩見稱。它的白釉劃花、白釉剔花、白釉釉下黑

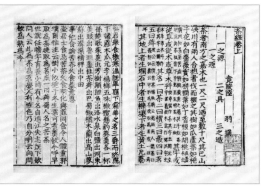

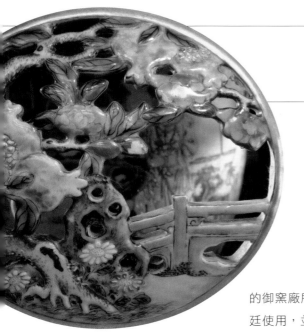

**景德鎮**
江西北部城市，別名「瓷都」，是中國最古老的陶瓷產地之一，其代表產品是「青花瓷」。

彩等品種有着深遠的影響，形成了獨特的民窯體系。宋代名窯、名瓷層出不窮，鈞瓷的銅紅窯變色釉，汝瓷的釉如堆脂，景德鎮青白瓷的色質如玉，龍泉青瓷釉色的青翠，官窯、哥窯的冰裂紋片，耀瓷的犀利刻花，都成為後世陶瓷業追求仿效的典範。

元代製瓷工藝在陶瓷史上佔有極為重要的地位。最為突出的成就是景德鎮創燒了青花和釉裏紅，以及銅紅、鈷藍等高溫顏色釉的燒成。青花瓷器具有清新素雅的特色，這一品種始終佔據景德鎮瓷業生產的主流。1964年河北省保定出土的元代「青花釉裏紅鏤雕蓋罐」集中地反映了這一時期的製瓷技藝。

明代製瓷工藝在繼承傳統的基礎上，進入了以彩瓷為主的黃金時期。景德鎮處於全國瓷業中心的地位，所謂「至精至美之瓷，皆出於景德鎮」。這裏

的御窯廠所燒造的官窯器專供宮廷使用，並提供朝廷對內、對外賞賜與交換所需要的瓷器。除官窯外，民營瓷窯星羅棋佈，以大量燒造日用瓷為主，也生產極精緻的細瓷。此時期創新的高溫色釉有永樂甜白、宣德寶石紅、霽藍、弘治嬌黃、正德孔雀綠等，為豐富傳統的單色釉做出了貢獻。這一時期裝飾藝術水平的代

表應屬彩瓷，如永樂和宣德時的青花、宣德釉裏紅、成化鬥彩、萬曆五彩，都為後世所推崇。本書所選載的永樂「青花壓手杯」、成化「鬥彩葡萄紋高足杯」是見於著錄的官窯名器，萬曆「五彩鏤空雲鳳紋瓶」則是運用鏤雕、彩繪於一器的傑出作品。明代的民營陶瓷業遍及河北、河南、山西、甘肅、江蘇、江西、廣東、廣西、

**青花瓷**
瓷器釉彩之一，被用作白地藍花瓷的專稱。屬釉下彩。其原料為含氧化鈷的鈷土礦，以藍青色料在瓷胎上描繪紋飾，然後施透明釉，入窯後一次燒成。

福建、浙江各地。其中江蘇宜興的紫砂、山西的法華器、福建德化的白瓷都有特殊的成就。本書內的何朝宗「德化窯白釉達摩像」就是德化白瓷的優秀代表作。

清代陶瓷工藝又有更大的發展。清代前期的康熙、雍正、乾隆三朝的製瓷水平達到了歷史高峰。其裝飾之華麗,工藝之精湛,品種之豐富,皆超越前朝,景德鎮製瓷業達到了空前的繁榮。顏色釉方面不僅承襲明代取得的成就,而且有不少創新品種。紅釉品種中康熙朝有郎窯紅、霽紅、豇豆紅,雍正朝盛行有胭脂水、珊瑚紅;藍釉中有天藍、灑藍、霽藍;另外尚有茶葉末、蟹甲青、瓜皮綠、孔雀綠、松石綠、茄皮紫、烏金釉等繁多種類。彩瓷中除青花、釉裏紅、鬥彩等傳統品種外,粉彩、琺瑯彩、素三彩、黑彩等,進一步豐富了彩瓷的裝飾範圍。在仿製歷代名瓷,仿銅、仿漆、仿竹、仿木、仿玉、仿翠,以及脫胎、玲瓏、轉心、轉頸等特殊工藝製品,表明了燒造瓷器技術的全面成熟。本書選載的康熙「五彩加金鷺蓮紋尊」、雍正「琺瑯彩雉雞牡丹紋碗」、乾隆「各種釉彩大瓶」等器,即是最精彩的產品。

瓷器是中國的偉大發明創造,它是科學和藝術的綜合產物,不僅是具有經濟價值的物質產品,而且成為人類所共同享有的精神財富。中國陶瓷的發展歷史源遠流長,從目前所發現最早的河南新鄭裴李崗、河北武安磁山文化遺址出土的陶器算起,至今約有八千年的歷史。從創燒原始青瓷的商代中期,到出現瓷器的東漢,其間竟經歷大約兩千年。陶與瓷具有利用粘土的可塑性和經火煅燒變得堅硬的共性,然而在漫長的演進過程中,由於原料的揀選、窯爐結

**鬥彩瓷**
是釉下青花和釉上諸彩相結合,具有諸彩競相鬥妍藝術效果的瓷器。鬥彩瓷器萌發於明代宣德年間,發展於正統年間,成熟於成化年間,故成化鬥彩聲譽極重。

**素三彩瓷**
素三彩是一種低溫釉上彩瓷。器表紋飾以黃、綠、紫彩為主,不用或少用紅彩,故稱素三彩。素三彩創燒於明成化,明正德、嘉靖、萬曆時期素三彩工藝已取得較高成就,至清代康熙朝得以進一步發展,並成為康熙時期具有特色的瓷器品種之一。

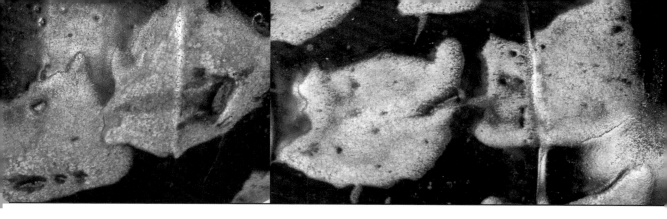

像。在廣西少數民族使用的樂器中，至今仍可見到
類似式樣的陶質鼓腔的腰鼓。

　　從這件花瓷腰鼓的裝飾藝術可以看出，唐代花
釉瓷器擺脫了單色釉的局限，在黑釉或褐釉上
潑以大塊藍斑或灰白色斑紋，利用

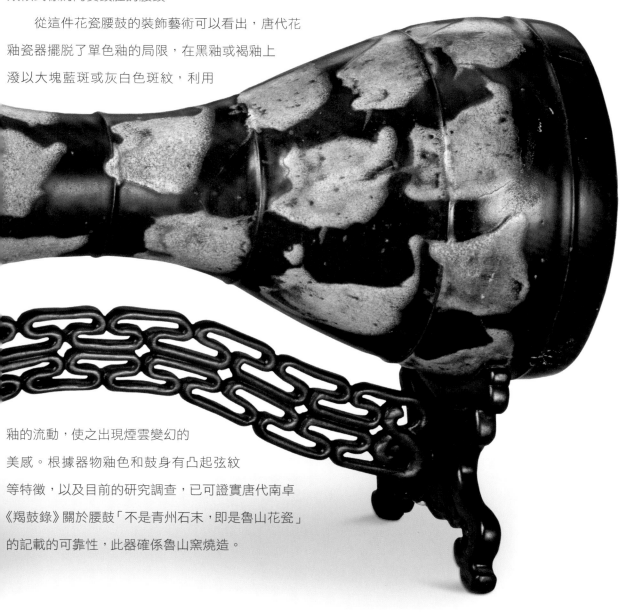

釉的流動，使之出現煙雲變幻的
美感。根據器物釉色和鼓身有凸起弦紋
等特徵，以及目前的研究調查，已可證實唐代南卓
《羯鼓錄》關於腰鼓「不是青州石末，即是魯山花瓷」
的記載的可靠性，此器確係魯山窯燒造。

# 058 定窯白釉孩兒枕

宋（960 — 1276）

高 18.3 釐米，長 30 釐米，寬 18.3 釐米

宋代是瓷器發展史上的一個繁榮時期，當時各地出現了許多具有不同風格特色的名窯。其中北方瓷窯以定窯最為著名，定窯燒造的瓷器一度是北宋的宮廷用瓷。定窯白瓷對後代瓷器有很大影響。

定窯燒造年代的上限早至唐代，盛於五代及北宋，終止於元。定器之中白瓷最負盛名，另有紫定（醬釉）、黑定（黑釉）、綠定（綠釉），更為罕見。白釉裝飾採用刻花、劃花和印花。刻劃花是以竹質或骨質的圓體斜面工具和梳篦狀工具逐件進行手工刻劃。刻花紋樣由呈現出有斜度的「刀痕」凹線組成，梳篦狀工具劃出了一組組回轉流利的線紋，以流暢、洗練的線條表現出優美生動的畫面。印花則是提高產品生產效率，使紋樣同一化的工藝，紋飾常見在碗、盤裏部。製作時將坯件置於事先刻好花紋的陶範上整形拍印，其紋飾多以工整繁密細膩取勝。「定器有芒」，是定窯產品的重要特點，由於盤、碗之類採用底足朝上的

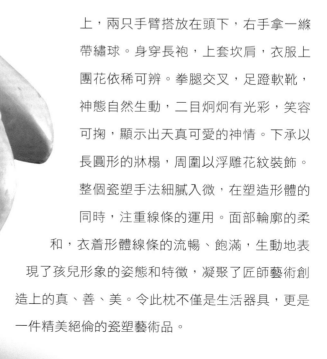

　　定窯古遺址在今河北省曲陽縣澗磁村、燕山村一帶，曲陽宋屬定州，指地而名，故稱「定窯」。

「覆燒」方法，因此出現口部無釉的情況，故而盤碗以銅、金、銀鑲口，亦謂之「金裝定器」「釦器」。

　　定窯傳世精品之中，孩兒枕堪稱孤品。瓷枕早在隋代已經出現，唐、宋時期各瓷窯都有燒造。南宋女詞人李清照所作《醉花陰》有「玉枕紗廚」，玉枕所指即為青白如玉的「青白瓷」枕。枕的式樣有長方、腰圓、雲頭、花瓣、雞心、八方、銀錠多種，也有的塑成虎形、龍形、嬰孩、臥女狀。

　　孩兒枕胎體厚重，通體施乳白色釉。胖孩兒匍伏臥於榻上，兩只手臂搭放在頭下，右手拿一繫帶繡球。身穿長袍，上套坎肩，衣服上團花依稀可辨。拳腿交叉，足蹬軟靴，神態自然生動，二目炯炯有光彩，笑容可掬，顯示出天真可愛的神情。下承以長圓形的牀榻，周圍以浮雕花紋裝飾。整個瓷塑手法細膩入微，在塑造形體的同時，注重線條的運用。面部輪廓的柔和，衣着形體線條的流暢、飽滿，生動地表現了孩兒形象的姿態和特徵，凝聚了匠師藝術創造上的真、善、美。令此枕不僅是生活器具，更是一件精美絕倫的瓷塑藝術品。

# 景德鎮窯青花釉裏紅鏤雕蓋罐

元（1271 — 1368）

通高41釐米，口徑15.5釐米，足徑18.5釐米

青花瓷器是中國傳統的工藝品。元代景德鎮生產的青花瓷器，製作工藝已十分純熟，行銷國內和亞洲的許多國家。與「青花」同屬「釉下彩」的新興品種——「釉裏紅」，以及紅釉、藍釉的問世，為後世彩瓷和各種色釉的進一步發展奠定了基礎。

「青花」是使用鈷礦物作彩料，先在坯件上着

此罐係 1965 年在保定出土窖藏十一件元瓷中的兩件蓋罐之一，不僅器形大，而且彩、釉皆精，出土時又保存得完好無損，實為可貴。罐類一般用作盛器，像這樣技藝精湛的瓷器，不僅可以實用，而且可供觀賞。

此罐形體飽滿，製作精緻。瓷罐腹部突出部位作菱形開光主體紋飾，開光內鏤雕四季花卉，並以兩道串珠紋作輪廓，增強了開光內洞石、花卉的立體感。山石、花朵呈紅色，葉為藍色，紅

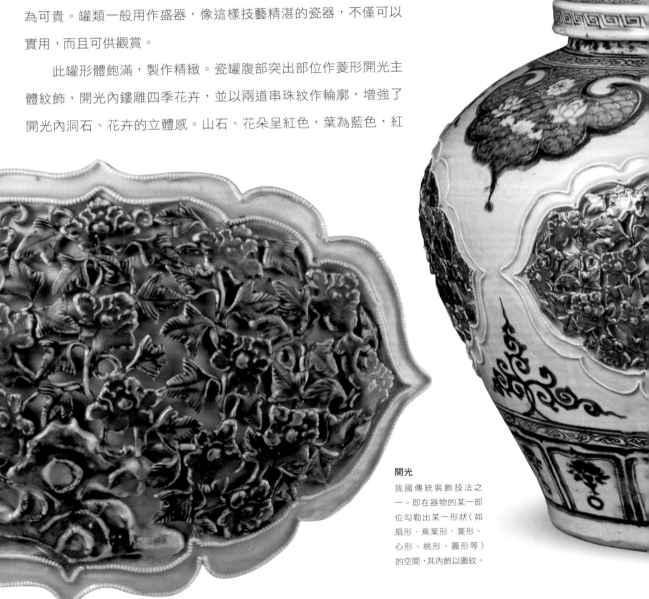

**開光**

我國傳統裝飾技法之一。即在器物的某一部位勾勒出某一形狀（如扇形、蕉葉形、菱形、心形、桃形、圓形等）的空間，其內飾以圖紋。

其中除三彩、五彩屬單純釉上彩之外，其他幾種均以釉下青花的藍色與釉上紅、黃、紫、綠等深淺不同的顏色相互配合組成畫面紋飾，具有釉上釉下色彩鬥妍爭豔的意思，故名「鬥彩」，亦有「逗彩」之稱。

「鬥彩」始於成化，它是在青花和釉上彩的基礎上發展起來的，一說它受景泰年間掐絲琺瑯（景泰藍）啟發所致。景泰藍工藝是在銅胎上掐絲，後填以彩料燒製。鬥彩則為在青花雙勾線內填繪色彩，可能受到了景泰藍的影響，其他工藝品之間相互借鑑的現象也是有的。

成化鬥彩瓷器製作精美，是明、清彩瓷中名貴品種之一，傳世品多為小件杯、碗，故宮博物院所藏以酒杯為多。據清初《高江村集》記載，成化鬥彩酒杯有：高燒銀燭照紅妝、龍舟、鞦韆、錦灰堆、高士、娃娃、葡萄和雞缸數種，其中除照紅妝、龍舟、鞦韆三種外，其餘故宮博物院均有收藏。

成化鬥彩在嘉靖、萬曆時期聲價已甚高，繼之歷朝均有仿燒，以晚明仿品最佳，但胎骨、釉色都不如原作。尤其是款識，更容易鑑別。

成化鬥彩還有高足杯式樣。據雍正七年宮中檔案記載，由圓明園送回的高足杯有鸚鵡摘桃、西番蓮、寶蓮、蓮花荷葉、鴛鴦和八如意等名稱，都名為成化五彩，稱高足杯為高足圓。明成化「鬥彩葡萄紋高足杯」即屬於這類珍品。

此件高足杯敞口，弧腹，沿微外撇，杯足中空呈喇叭狀。杯形靈秀，可用手擎高足，故又有「把杯」之稱。杯身環繞彩繪葡萄藤枝，畫匠先在坯胎上以青花勾出花紋輪廓，施罩透明釉入窯裝燒後，在葉子、葡萄的輪廓上填以濃淡不同的紫色，藤枝繪成紫色，蔓鬚繪以黃色，復入彩爐烘燒。燒成後，透過色彩可見釉下青花的紋線，枝葉藤蔓真實自然，黑紫色的果實粒粒閃爍光澤，生動地表現出葡萄成熟時所具有的質感。杯足底邊一周無釉，亮釉處自右向左書「大明成化年製」六字楷書款，用筆遒勁藏鋒，是當時流行的書法風尚。

## o62 五彩鏤空雲鳳紋瓶

明·萬曆（1573 — 1620）

高 49.5 釐米，口徑 15 釐米，足徑 17.2 釐米

　　瓷器彩繪，素有「青花幽靚，五彩華貴」之說。具有典型特色的萬曆五彩，主要是釉下彩青花和釉上施以多種色彩相結合的青花五彩瓷器。當時尚未出現釉上藍彩，故以青花的藍色作為畫面的一種顏色，同釉上的紅、綠、黃、紫、褐構成豐富的色彩搭配。作為皇家御用陳設的「五彩鏤空雲鳳紋瓶」，不僅成功地運用彩繪，而且熟練地運用鏤雕技法，使圖案增強了立體感。在裝飾意圖上達到「錦上添花」的藝術效果，代表了這一時期景德鎮製瓷業的高超水平。

　　「五彩鏤空雲鳳紋瓶」，並用彩繪、鏤雕裝飾方法，通體紋飾豐滿繁密，自上而下有八層之多。在施繪彩料中使用紅、黃、綠、茄紫、孔雀藍、褐諸色，礬紅色尤為顯眼。紋飾以褐赤色細線描勾，使圖案愈見清晰。濃豔的色彩給人以歡樂的感覺。瓶腹部鏤雕九隻鳳鳥飛翔於彩雲間，構成了器物的主體紋飾。瓶口鏤成如意頭圖案。瓶頸上部描繪蕉葉紋一周，其上並鏤空蝶、花。頸部兩側雕塑一對獅「耳」，在錦地上二圓形開光內青花篆書「壽」字。其下部一層鏤雕垂雲四朵，並輔以錢紋作地，以鏤空朵花襯托。肩部飾一周「卍」字錦地。其間描繪四菱開光，內繪有鳥雀、

明代彩瓷在中國陶瓷發展的歷史上翻開了嶄新的一頁。成化「鬥彩」和萬曆「五彩」同為名馳中外的珍貴名品。

瓷器上繪畫裝飾，歷經唐、宋、元各代。到明代永樂、宣德時期，釉下彩「青花」作畫已經十分純熟。明代瓷器彩繪，經洪武紅彩、宣德青花紅彩、成化鬥彩、正德素三彩的藝術實踐，直至嘉靖、萬曆時期的五彩，反映出明代彩瓷取得的成就，從而為清代彩瓷的進一步發展打下了基礎。

折枝花果，畫面各異。瓶腹雲鳳紋之下繪錢紋錦地，間飾八寶、朵花。近足部以礬紅色料繪以粗邊線，使器物畫面、色調增加了穩重的感覺。整個器物造型古樸、構圖嚴謹、色彩絢麗、鏤雕剔透，是一件富麗堂皇的藝術品。

此瓶生動地刻畫了飛鳳、祥雲的形象。以龍鳳圖案作為裝飾題材是中華民族的文化傳統，在陶瓷文物上鳳的形象屢見不鮮，如唐代「青釉鳳首龍柄壺」、元代磁州窯「雙鳳紋罐」、元代「青花龍鳳紋扁壺」等，都是陶瓷工藝中出類拔萃的器物。萬曆「五彩鏤空雲鳳紋瓶」，堪稱後來居上的珍品。

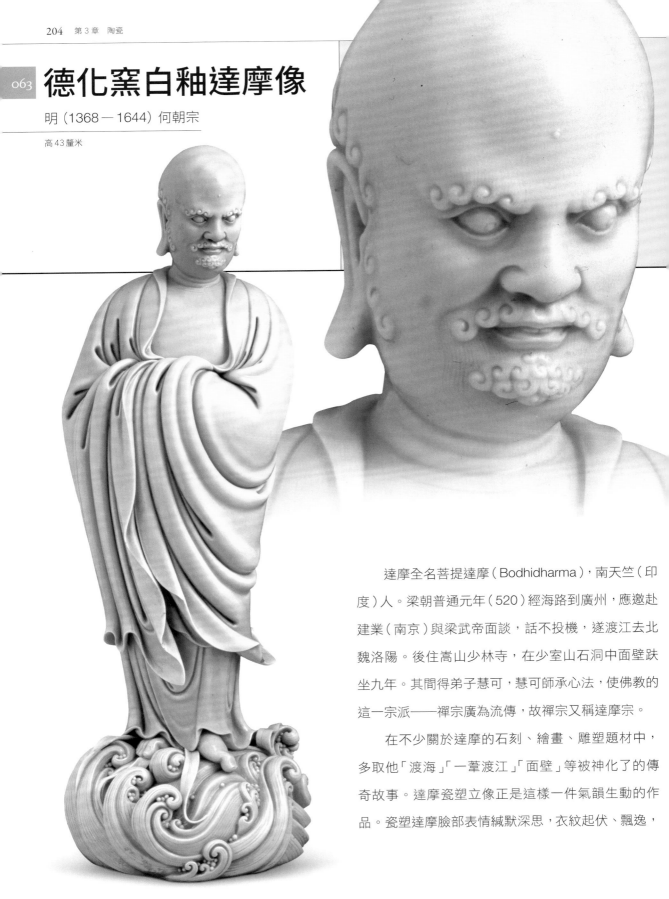

063

# 德化窰白釉達摩像

明（1368—1644）何朝宗

高 43 釐米

達摩全名菩提達摩（Bodhidharma），南天竺（印度）人。梁朝普通元年（520）經海路到廣州，應邀赴建業（南京）與梁武帝面談，話不投機，遂渡江去北魏洛陽。後住嵩山少林寺，在少室山石洞中面壁趺坐九年。其間得弟子慧可，慧可師承心法，使佛教的這一宗派──禪宗廣為流傳，故禪宗又稱達摩宗。

在不少關於達摩的石刻、繪畫、雕塑題材中，多取他「渡海」「一葦渡江」「面壁」等被神化了的傳奇故事。達摩瓷塑立像正是這樣一件氣韻生動的作品。瓷塑達摩臉部表情緘默深思，衣紋起伏、飄逸，

繪製，描畫出在盛開的牡丹花叢中雌雄二雉嬉戲的生動情景。碗的另一面以墨料題「嫩蕊包金粉，重葩結繡雲」五言詩句，字體運筆瀟灑圓潤；上有「佳麗」，下有「金成」「旭映」胭脂色篆書陽文印。底心有藍料雙方欄「雍正年製」款識。

琺瑯彩瓷器傳世品皆為清代盛世康、雍、乾三朝所作，此後製瓷業每況愈下，琺瑯彩瓷器隨之消聲匿跡。民國時期，北京瓷莊曾在景德鎮仿燒琺瑯彩瓷，但質量低劣，無法與之相比。

# 粉彩牡丹紋盤口瓶

**067**

清·雍正（1723 — 1735）

高 27.5 釐米，口徑 6.3 釐米，足徑 8.6 釐米

雍正粉彩是清代彩瓷中的又一名品。粉彩出現於康熙時期，是釉上彩的新品種，以其溫潤柔麗、淡雅宜人的風韻博得美譽。

雍正粉彩的特點是在畫面彩繪部位用玻璃白粉打底，然後再施彩渲染作畫，從而產生濃淡不同、陰陽分

粉彩料同琺瑯彩料的化學成分中均引入了砷元素，因此可以認為瓷胎畫琺瑯與粉彩所用彩料相類。粉彩是熟練的手工製瓷技能和精細的彩繪技巧相結合的產物。首先需要燒製薄胎體透、釉面無疵的白瓷，施彩繪畫後復入彩爐烘燒，其工藝程序與瓷胎畫琺瑯相同。雍正時期的粉彩瓷生產之所以躍

明的藝術效果。或是將玻璃白粉摻於彩料之中，把每種彩料調配成深淺不同的顏色。粉質玻璃白亦可作為白色單獨使用。因而在色料的表現力方面，粉彩更為豐富，有的彩繪器物用色多達近二十種。由於粉彩顏料中含有粉質，其燒成溫度較五彩低，色彩柔和，又稱為「軟彩」。

居釉上彩瓷之首位，是同雍正六年（1728）二月自製「琺瑯彩」的燒成有直接關係。當時不僅景德鎮御窯廠燒製，而且景德鎮各民窯也大量生產粉彩瓷器。但民窯製品的器形、瓷質、釉色以及繪畫技藝都較粗劣，遠不及御製粉彩精妙。

　　此件「粉彩牡丹紋盤口瓶」是一件色彩潔潤秀麗的藝術品。瓶體造型美觀，瓷胎潔白，釉面瑩潤。盤口，瘦頸，腹部鼓圓，下腹內收，至足部外撇，圈足。底有青花「大清雍正年製」六字楷書款。瓶身以爭妍盛開的牡丹為主題，色彩鮮豔。畫面的操筆，運用自如的設色，花朵枝葉的勾勒渲染，都能説明畫師的藝術成就。這一時期，由於有些畫家為粉彩瓷器繪彩提供畫稿，因而使之具有淡雅宜人的格調。

　　雍正粉彩不僅有白地繪彩，也有珊瑚地、淡綠地、醬地、墨地、木理紋開光粉彩和粉彩描金等品種，裝飾技法雖各有千秋，但就繪畫效果而言，莫過於白地彩繪更能體現瓷器與書畫相結合的藝術特色。

068

# 黃地粉彩鏤空干支字象耳轉心瓶

清・乾隆（1736 — 1795）

高 40.2 釐米，口徑 19.2 釐米，足徑 21.1 釐米

乾隆時期由於皇帝本人對瓷器燒製刻意求精，加之當時官窯所具備的雄厚的人力、物質條件及較高的製瓷技藝，湧現出品目繁多的新品種以及精彩製品。鏤空轉心瓷瓶是乾隆時期的獨特產品，製作技術難度很大，傳世品甚少。

此瓶形體飽滿端莊。頸、腹不同常瓶，可以旋轉。瓶的頸部飾雙象耳，腹部鏤空四圓開光，瓶體裏套裝一個可以轉動的內瓶，其外壁繪有嬰戲圖，旋轉時透過鏤空開光可以看到內瓶上的不同畫面，猶如走馬燈的構造。轉心瓶在設計上更具微妙之

處，在它可轉的頸部與固定瓶體上端分別標寫天干和地支，這樣在轉動頸部時又可作為中國傳統干支紀年的萬年曆。轉心瓶的彩飾，口部以及象耳的金彩有赤金的質感，瓶體在不同色地上以琺瑯彩料描繪了花卉圖案。四圓開光各以春、夏、秋、冬園林

黏接口

活口　　　黏接

內瓶

內底托

**轉心瓶結構示意圖**

外瓶頸部、腹部、底部與內瓶腹部分為四個單件燒成。外瓶的內底心做成凸起的雞心鈕，內瓶底心做成與鈕相配的雞心槽。組裝時將內瓶置於外瓶底部之上，使雞心鈕凹凸吻合，再將外瓶腹套裝內瓶，並穩在外瓶底座上，最後套放瓶頸。除旋轉部位外，外瓶腹、底之間，外瓶頸裏與內瓶肩部均用特製黏合劑粘牢，再修飾接痕，一件天衣無縫的作品即告成功。轉心瓶式樣各異，其結構大小不同。但在燒製過程中均要求內、外瓶體設計尺寸適度，鏤雕彩繪精細，且組合瓶體的各部燒成後要求不變形，足見工藝技術的高超水平。

景致為題材，鏤雕的花卉、山石以粉彩描繪。瓶里飾松石綠釉，足底署青花六字篆款「大清乾隆年製」。

　　鏤空套瓶在宋代龍泉窯已有燒造，但不及乾隆時期製品精巧。至於轉心、轉頸式樣，則要求更高的燒製水平才能做到。轉心瓶的製作程序，首先把

# 069 古銅彩犧耳尊

清・乾隆（1736 — 1795）

高 22.2 釐米，口徑 13.2 釐米，足徑 11.7 釐米

乾隆時期的製瓷工藝，在於大量燒製彩瓷和單色釉諸類品種，並突出發展了特種製瓷工藝。當時的仿古器、仿外國瓷，以及仿漆、仿竹木器、仿銅器、仿珊瑚、仿翠、仿玉等工藝品無所不有。仿品不僅可以準確地表達出各類工藝品原物的色澤、質感，而且仿品的造型也與原器無二。「古銅彩犧耳尊」就是見於清唐英所著《陶成圖畫卷》的一件傳世珍玩。

《陶成圖畫卷》中的「古銅彩犧耳尊」，是「唐窯」的精心代表作之一。尊體古樸典雅，器形仿戰國錯金銀銅尊，整個器物的色澤、金銀鑲嵌紋飾和鏽斑都仿古銅器。仿製品所飾茶葉末釉，充分體現出古銅器所具有的沉着色調。茶葉末釉屬古代鐵結晶釉的範疇。釉面呈半無光狀態，在暗綠的底色中閃爍着自然的黃色星點。底部篆刻陽文「大清乾隆年製」三行六字款。唐、宋時期已見有這類釉色，明代更不乏其例。清代「臧窯」有「蛇皮綠」「鱔魚黃」等品種，雍正、乾隆時期這類製品稱之為「蟹殼青」「茶葉末」，並被列為當時官窯的秘釉。這件「古銅彩犧耳尊」就是這類釉色的精品。

景德鎮御窯廠的督窯官吏在康熙時有臧應選、郎廷極、劉源等人，雍正朝有年希堯。他們督造的官窯因此分別有「臧窯」「郎窯」「年窯」之稱。世稱著名的「唐窯」是指乾隆二年至十九年（1737—1754）督窯官唐英督理御窯廠窯務所製瓷器而

言。「唐窯」瓷器在仿古、創新方面有獨到之處。傳世的「唐窯」製品是不可多得的珍品。「唐窯」的卓越成就固然是在總結前人經驗的基礎上，通過集體勞動，積累集體智慧的結果。但作為御窯廠窯務的組織領導者，唐英確作出了重要的貢獻，成為中國製瓷工藝史上一位傑出的理論和實踐相結合的人才。他不僅是製瓷專家，又具備很好的文學、藝術修養，能自行出樣。他所寫的《陶人心語》《陶成紀事》以及所編纂的《陶冶圖說》均為研究製瓷工藝史的重要資料。

唐英（1682—1756），字俊公，雍正六年奉命駐景德鎮御窯廠任協理官。乾隆元年（1736）起先後管理淮安關及九江關並兼理窯務，直至乾隆二十一年過世（其中十五、十六兩年一度中止）。

## 070 各種釉彩大瓶

清‧乾隆（1736 — 1795）

高 86.4 釐米，口徑 27.4 釐米，足徑 33 釐米

乾隆時期，釉下彩、釉上彩瓷的燒造技藝已十分成熟，青花、鬥彩、琺瑯彩、粉彩、金彩等都已達到爐火純青的地步。高溫或低溫的各種色釉——粉青、松石綠、霽藍、紫金釉的燒成也掌握得恰到好處。尤其是仿燒宋代汝、官、哥、鈞諸名窯的釉色，竟可仿汝超汝，仿鈞超鈞，達到有過之而無不及的程度。汝、官、哥窯器都以釉面「開片」見長，但釉色、紋片又各不相同。汝器開片碎小；官窯紋片與釉色一致；哥窯紋片顏色是大深、小淺兩種交織組成。

清代景德鎮御廠官窯器各種色釉名目繁多。「各種釉彩大瓶」集合了高溫、低溫色釉以及釉上、釉下彩繪於一器，素有「瓷母」之美稱，是一件標誌着高超製瓷技藝的代表作品，且傳世僅此一件，彌足珍貴。

「各種釉彩大瓶」是目前故宮博物院所陳列的陶瓷中形體最高大的一件。造型莊重，洗口，夔耳，瓶腹飽滿。自口部至器底各種釉、彩裝飾達十五層之多。瓶口沿以金彩描畫，以下諸層順序為紫地、綠地琺瑯彩各一周，分別繪有花卉圖案，紫地之上尚有似針撥軋道紋樣。其下仿汝窯釉一道，在天藍色釉面上呈現魚子紋細小開片。頸部青花繪飾纏枝花卉，雙夔耳飾金彩。又下為松石綠釉一道。再下為仿鈞釉，釉面呈現出交融斑斕的窯變色彩。以下是鬥彩花紋一圈，下為粉青釉，上面並模印皮球花圖案。各層釉色之間有的描以金彩一道，使各釉色品種鮮明突出，亦更富有裝飾美。

# 工藝美術

　　工藝隨着人的生活需要從無到有，由簡而繁。製造一切器物都包括工藝的過程，遠在石器時代已經如此。人們在實際使用的要求之外，還希望美觀。於是在選擇原料時要質美，製造時要造型美、光澤美，再增加裝飾花紋，這樣就產生了工藝美術。隨着人的衣、食、住、行的需要，一切器物和工具，逐漸進化分工。從文獻上知道商、周時代已經有國家設官管理的土工、金工、木工、草工、石工、革工等分工製造的記載。

　　商、周以下，歷代都有規模龐大的官辦工藝。如漢代的尚方署、唐代的少府監、宋代的文思院、明代的御用監所屬各局廠、清代的養心殿造辦處等，各個時代都有不同的行業分工。從傳世的和出土的實物，可以看出各個時代有各自不同的工藝風格。從漢、唐到明、清，除官方的手工藝製造以外，還有民間的作坊和個人手工藝者，以及業餘美術工藝的愛好者，都各有精緻的作品傳世，他們之間的關係是相互影響的。以明代為例，明代的工藝美術品，民間和官方相互影響，從漆器、景泰藍、傢具三個行業作品的面貌，可以看出總的發展規律。例如本書所載「剔紅梔子花紋圓盤」的作者張成是一位元代民間漆器製造者，他的兒子張德剛繼承父業，明永樂年間他的作品在日本、琉球都很著名，皇帝召他到北京營繕所領導製作。從傳世的有張德剛款的漆器和永樂、宣德年款的漆器可以看出，這一時期的漆器就繼承了張成一派，具有漆胎厚潤，刀法明快，磨工大於雕工的風格；而且又擴大了製作器皿範圍，增多了做法品種，新穎美觀。

　　明初，南京官方設廠製造掐絲琺瑯器，由雲南人負責製造。到了景泰年間，北京製造掐絲琺瑯器的數量和質量都大為提高，各種器皿釉色鮮明堅實，掐絲勻密，在原來基礎上有很大發展，出現了「景泰藍」這一名稱，代表着官方工藝的標準。還有本書所載大明萬曆年製的「黑漆嵌螺鈿雲龍紋大案」，是明代「御用監」製造的，五龍圖案和年款都是「御用監」的特徵。此外，如元代製銀器的朱碧山，明、清之際雕刻犀角的尤通，都不是工匠。這類型作者的特點是技術高，文化水平也高，愛好某一項工藝成為癖好，常常出現立意清新的作品，產生很大的影響。

　　清代的工藝美術家，如本書所載「黃楊木雕東山報捷圖筆筒」的作者吳之璠，是民間的刻竹名家，他所繼承的明代嘉定派的刻竹，在清初雕刻藝術領域裏影響很大。本書所載黃振效的「象牙雕漁樂圖筆筒」，完全用嘉定派刻竹的方法。黃振效是廣東人，但作品和廣東牙匠的風格截然不同。廣東雕刻象牙的行業是很興盛的，作

《竹人錄》

**封始岐**（生卒年不詳），字時周，清嘉定（今屬上海）人，善刻竹木牙雕等。雍正初年入清宮造辦處牙作供職。《竹人錄》中有記載。

允祥 （1686—1730），清康熙帝第十三子，與雍正帝胤禛關係親密。被封為和碩怡親王，又出任議政大臣，處理重要政務。曾總理戶部、總理京畿水利營田事務、辦理西北兩路軍機。

品多是寶塔、龍舟、多層透雕可轉動的球等，以玲瓏剔透取勝。養心殿造辦處的「牙作」工匠最初多來自廣東，雍正九年（1731）嘉定派刻竹名家封始岐被召入造辦處「牙作」當差。他的象牙雕刻沒有龍舟牙球一類的作品，給象牙雕刻樹立了清逸俊雅的新風。乾隆初年又命封岐（在造辦處的名字）試做雕漆器。其刀法不藏鋒，棱線清楚有力，運刀如筆，不見磨工的風格，成為乾隆時代雕漆的特徵。

造辦處「玉作」，雍正年間選進的玉匠胡德成、鄒學文、鮑友信、王斌、陳宜嘉、姚漢文、姚宗江等，當時叫做南匠，是「玉作」的主要作者。鄒學文、姚宗江製玉之外還是古玉鑑定家，姚的祖、父都是玉匠。明清以來蘇州專諸巷是高手玉匠集中的地方。乾隆年間造辦處「玉作」的主要玉匠倪秉南、張象賢、張君光、賈文運、張德紹、蔣均德、顧觀光、金振寰等，都是從蘇州選進的。他們負責一般的製造和修理。遇有大件

製作，需用更多的人，如本書所載「青玉大禹治水圖山子」，就是由「玉作」的玉匠完成打坯的工序，然後交兩淮鹽政，在揚州雇用許多蘇揚的玉匠集體製造。

造辦處「琺瑯作」，製作銅胎、瓷胎、玻璃胎、宜興胎四種胎骨的畫琺瑯，也是多方面通力合作的。「琺瑯作」的宋七格、鄧八格是負責煉製琺瑯料和完成燒造的。胡大有是吹釉的。繪畫的宋三吉、周岳、吳士琦是江西畫瓷器的人。張琦、鄺麗南是廣東的畫琺瑯匠。林朝楷，廣東人，是畫家郎世寧的徒弟。賀金昆、湯振基、戴恆、鄒文玉、張維奇、郎世寧是畫院處的畫家。寫

款人徐同正是武英殿修書處的寫字人。在琺瑯彩瓷器上寫詩句的武英殿待詔戴臨，是有名的書家。瓷胎是由江西燒造瓷器處的年希堯負責，燒造脫胎填白瓷器。紫砂胎、白砂胎是宜興燒造的。玻璃胎是由造辦處玻璃廠燒造的。每一件成品都要經過這些多方面的人才共同創作。造辦處二十四個「作」的成品，在不同程度上都需要合作。以上四個「作」的情況，可以代表造辦處的特點。

總之，在雍正朝，由怡親王允祥領導的海望、唐英、沈崳等，都是富有設計才能的人。又有許多畫家擔任畫樣。而雍正、乾隆自己也常常提出具體規格要求，所以才能出現極為精緻的成品。

造辦處
全稱「內務府造辦處」。清皇宮內管理手工作坊的機構，最初設在養心殿，後遷出。乾隆二十三年（1758）以前，設畫院、做鐘處、玻璃廠、琺瑯作、鍍金作、玉作等四十二個作坊。之後逐步裁併，至光緒時總數為：作坊十四個，工匠六十一種，俗稱「造辦處六十一行」。

# 071 大聖遺音琴

唐·至德元年（756）

通長120.3釐米，肩寬20.2釐米，尾寬13.5釐米，
厚5.2釐米，底厚20.2釐米

「大聖遺音琴」，桐木製，栗殼色漆與黑漆相間，局部略有朱漆修補。金徽玉軫，形制渾厚，圓形龍池，匾圓形鳳沼，琴背題名、大印及銘文都是製琴時鐫刻的。腹款朱漆書「至德丙申」四字在池的旁邊。製琴的時間，正當安祿山叛變，唐明皇入蜀，太子在靈武即位改元至德的時候。此琴造型優美，色彩璀璨古穆，是琴中之寶。

「大聖遺音琴」，原藏於養心殿南庫。養心殿自雍正帝時起，成為清代皇帝的寢宮。南庫是收藏貴重物品的庫，說明當時確實是把它看得很重的。南庫雖是皇帝的珍品庫，但溥儀出宮後，清室善後委員會入宮點查時，南庫已因年久失修，屋漏處泥水下滴正中琴面，不知已過多少歲月，長期泥水滯留，琴面上凝結了一層堅厚的水鏽。琴色灰白，已破敗不堪了。於是就其原狀另外入庫保存。1947年經故宮博物院的編纂王世襄鑑定為唐琴珍品。1949年徵得故宮博物院原院長馬衡的同意，延請著名古琴家管平湖來院修理，經歷數月，一層水鏽徹底清除乾淨，原來漆面居然絲毫無損，並照原樣重新安排了紫檀岳山（琴上的一個部件名稱）。雖然經過若干歲月的泥水浸蝕，但琴面鹿角漆胎仍堅固異

**馬衡**

（1881—1955），字叔平。浙江鄞縣人。金石考古學家、書法篆刻家。西泠印社第二任社長。曾任北京大學研究所國學門考古學研究室主任、故宮博物院院長、北京文物整理委員會主任委員。

**大聖遺音**

大聖，儒家指堯、舜、禹、湯文王、武王、周公、孔子；遺音，遺留的聲音。即宋歐陽修所云：「舜與文王孔子之遺音也。」

**管平湖**

（1897—1967），字吉庵、仲康。祖籍江蘇蘇州，生於北京。古琴演奏家、畫家、中國民族音樂研究所副研究員，從事古琴研究整理工作。撰有《古指法考》。

**王世襄和夫人袁荃猷**
王世襄（1914—2009），字暢安。福州人，
生於北京。收藏家、文物鑑賞家、學者。
著有《髹飾錄解說》《明式傢具研究》《錦灰
堆》等。

常，千年古琴所以能流傳後世，確因其製造精良。

「大聖遺音琴」經此次修整，神采照人，恢復了
應有的面貌。修整完好以後曾經管平湖試彈，琴音
清脆鬆透。明、清以來的琴書中總結出古人認為最
好的琴音具有：奇、透、潤、靜、圓、勻、清、芳
九個特點，稱為「九德」，古人說具備「九德」的琴
是罕見的。

據現代古琴家鄭珉中鑑定，「大聖遺音琴」屬於
「九德」兼全的，也就是說能給人以完美悅耳的音響
感受。傳世的唐琴有五張，故宮博物院藏有「九霄
環佩琴」「飛泉琴」和「大聖遺音琴」。

# 072

# 剔紅梔子花紋圓盤

元（1271 — 1368）張成

高 2.8 釐米，口徑 16.5 釐米

元代及明初的雕漆，以花卉為題材的，如梔子花、茶花、菊花、牡丹、玉簪等無不花葉密佈，沒有錦地（即花下空白雕錦紋）。山水人物則有錦地，但錦紋較大較粗。總地說來，嘉靖時的雕漆錦地比永樂、

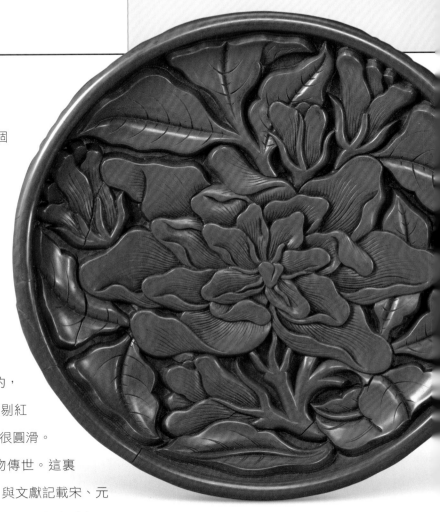

剔紅，是雕漆工藝中的一個品種。它用籠罩漆調色，在器物胎骨上層層積累到一個相當厚度，然後用刀雕出花紋。凡是紅色漆雕的器物，都稱作剔紅器。據有關漆器文獻記載：唐代的剔紅器，花紋和地子都是紅色，而且在一個平面上，沒有高低之分。還有一種花紋和地子異色，高低也有差別的，稱作陷地黃錦剔紅器。宋、元的剔紅器，刀鋒不顯露，凸起的花紋都很圓滑。

唐、宋的剔紅器，未見實物傳世。這裏所介紹的這件元代剔紅的風格，與文獻記載宋、元剔紅器特點是相符的。宋、元剔紅器風格大體上是一致的。

「張成造剔紅梔子花紋圓盤」，正中雕盛開的雙瓣梔子花一朵，旁雕含苞待放的梔子花四朵，全盤都為花葉佈滿，不雕錦地。筋脈舒捲有力，渾厚圓潤，生動樸實。這種富有生命力的效果，絕不是僅僅抄襲花卉繪畫或其他雕刻品可以達到的，可以看出作者熟練地掌握了雕漆的一切表現手法，並且熟悉漆的性能優點；又經常能觀察事物，將自然界新鮮活潑的形象立時選擇過來，集中表現在作品上，才有這樣的效果。盤底髹黑漆，近足處有「張成造」三字針劃款。

宣德時的錦地細得多，萬曆時的錦地又比嘉靖時的錦地更細，並且不論花卉、山水、人物、禽獸等都有錦地。錦地由粗而細，也是明代雕漆演變發展的規律之一。以上都是指官家製造的雕漆而言。還有一種構圖比較粗獷，刀法快利，顯露刀痕的風格，這些都是沒有年款的，民間氣息比較濃厚。與官家製造的相比，雖有文野之分，粗細之別，但樸質豪放，藝術價值並不低。

清代雕漆重刻工而輕磨工，到乾隆更加精巧。北京和揚州這兩個地區到現在還大量製造。除一般產品外，比較精細的作品往往較多的繼承了乾隆時期的一般風格，花紋多、層次多、刻工細成為主要的追求目標。而沒有從元、明作品中吸取優點。

**張成**

生卒年不詳，元代末年嘉興西塘楊匯的名漆工。存世作品稀少，又多有流失海外者，故極其珍貴。

# 073

# 剔紅觀瀑圖八方盤

元（1271 — 1368）楊茂

高 2.6 釐米，口徑 17.8 釐米

楊茂，生卒年不詳，元末雕漆名匠，與張成齊名。據《嘉興府志》載：「張成、

楊茂，嘉興府西塘楊匯人，剔紅最得名。」

　　明代永樂、宣德時代的剔紅器，繼承了張成、楊茂一派，而且種類大大的豐富起來。作品色澤悅目，漆質細膩，能在造型渾厚的器皿上雕出活潑生動的形象。自張、楊到明初，技法的主要特點是刀法明快，磨工大於雕工。大體

上說，永樂、宣德可劃為一個時期。不過宣德的某些作品，漆漸減薄，而地漸疏，已開始有自己的風格。到嘉靖時代變化很大，雕法由藏鋒圓潤轉向刀痕外露；到萬曆再變，佈局繁密而纖細是其特色。

　　「楊茂造剔紅觀瀑圖八方盤」，中間八方開光內雕松軒。軒右一老人臨曲檻，眺望對山瀑泉，軒內外童子各一人。天空、地面和水，用三種不同花紋錦地雕成。盤旁雕仰俯花朵組成的圖案。

　　盤底髹黑漆，足邊左側「楊茂造」針書細款隱約可見。足內有刀刻填金「大明宣德年製」六字款，係後刻。明代宣德時有改刻並填掩前代雕漆款識的現象。

| 074 | # 銀槎 |

元（1271—1368）朱碧山

高 18 釐米，長 20 釐米

朱碧山，浙江嘉興人，以善製精妙的銀器而負盛名。元代名人柯九思、虞集、揭傒斯、杜本等，都曾請他製過銀杯，或為他的作品題句。其後的陶南村、陳眉公、朱竹垞、

朱碧山所製銀器，據前人的記載，品種和數量是相當多的。朱碧山製的這件龍槎，原陳設在紫禁城內重華宮。在元代是酒器，到了清代已經把它作為古藝術品看待，不再當實用的酒器，升格為陳設品了。

銅掐絲琺瑯這種工藝美術品，在明代景泰年間大量製造，所以又名「景泰藍」。實則早在元朝已經出現這種工藝，元人《吳淵穎詩集》中有詠「大食瓶」詩一首，具體描述了大食瓶的質地、尺寸、色彩、花樣，胎盤的光滑清堅，可以看出「大食瓶」就是銅掐絲琺瑯瓶。詩中明確說這是從波斯（即現在阿富汗、伊朗等地區）來的物品。吳淵穎卒於元至元六年（1340），這首詩說明這項工藝當時在中國還是一個新工藝。明朝初年曹昭在《格古要論》裏面介紹燒造瓷器的窯別，曾說到「大食瓶」是以銅作身，用藥燒成五色花；又說雲南人在南京有以此為業的，製造瓶、盒、香爐、酒盞等；皇宮內製造的更細潤可愛等語。從傳世的實物來看，有年款的銅掐絲琺瑯器，還未發現更早於宣德年製的。宣德年距離吳淵穎已近百年，這項工藝的製造技術已逐漸達到成熟的水平。

銅掐絲琺瑯，無大發展，但胎骨厚重，釉料堅實，保持了明代官款器物的水平，而釉色不鮮明，有康熙年款的很少。到了乾隆時期，這項工藝和雕漆、織繡、百寶嵌等工藝美術品同時出現了空前的繁榮。首先是製造範圍的擴大。除繼承以往的品種以外，大至丈許的屏風、桌椅、牀榻、楹聯、插屏、掛屏，小至筆牀、酒具、硯匣、卷簽、書畫軸頭等都有，室內陳設和用具無所不備。宮中和避暑山莊的廟宇內還有高與樓齊的琺瑯塔。其次是在製造技術方面，出現了粉紅和黑色的新釉料。明代呈半透明紫晶光澤的葡萄紫色變成灰紫色。明代如碑碌純白的釉料，到此時變灰白，其他釉料亦缺乏玻璃感。但胎骨厚重不減於明代，鍍金技術超過以前，掐絲細密、金碧輝煌的評語還是當之無愧的。

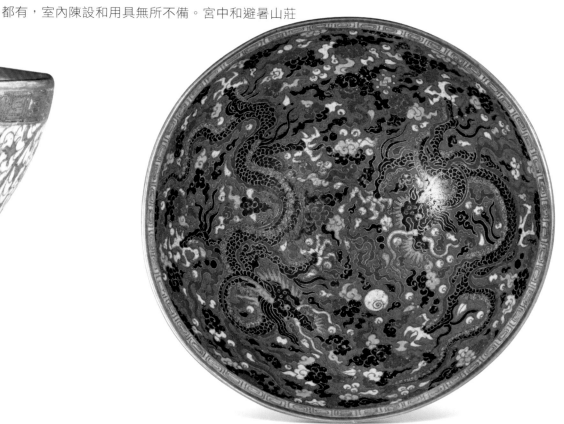

# 掐絲琺瑯纏枝蓮觚

076

明‧景泰（1450 — 1457）

高 14.5 釐米，口徑 7.9 釐米

從體積尺寸來看，景泰年間的掐絲琺瑯製造技術又進了一步。在瓶、盤、爐、花插、炭盆、面盆、花盆、薰爐、燈、蠟台、盒等器物上又出現了許多新花樣。這時期的釉料與宣德時代相同的顏色有：天藍（淡藍色）、寶藍（青金石色）、紅（雞血石色）、淺綠（草綠色）、深綠（菜玉色，有半透明的質感）、白（硨磲色）。宣德釉的光彩稍遜於景泰。新出現的，為宣德時代所未有的釉料有：葡萄紫（紫晶色，有玻璃質感）、紫紅（玫瑰色）、翠藍（在天藍和寶藍之間而色亮）。如景泰款「纏枝蓮觚」，色彩奪目，光亮如有一層玻璃釉，器不大而體重，並且掐絲勻實，磨光細潤，在宣德時代基礎上又提高一步。「景泰藍」這個名詞也隨即著稱於世。

景泰以後，有款識的器物傳世不多。故宮藏品中有嘉靖款的盤、萬曆款的寶藍色地五色雙龍鼎式四足爐。爐蓋不用銅鍍金鏤空，而用琺瑯鏤空，是這個時期的新做法。還有燭盤，淡青色地，只有黃、紅、白色花苞。還有紅、白、赭諸色花蝶爐，是這一時期的新圖案花紋。赭色和淡青色是這個時期的新釉料。

景泰年間，掐絲琺瑯這項工藝更為繁榮，產品有高與人齊的大甌，高約二三尺的尊、罍、壺、鼎等仿古銅器的器物。

明代銅掐絲琺瑯器，無年款的傳世很多，也都是景泰以後的產品，其中有不少出色的。例如故宮藏品中有瓜形燈座，與真實的大南瓜尺寸相若，下有銅鍍金枝蔓作足，上有銅鍍金葉蔓以承燈頸，瓜色在黃綠之間，綠葉黃斑，似畫筆烘染。景泰款諸器中尚未見有此種做法。還有些器物，形式仿古銅而紋飾用花鳥，都是前所未有的。在無款器物中有些胎骨輕薄，釉料滯暗，但也是明代的製品。

**掐絲琺瑯**
以紅銅作胎，將很細的銅扁絲掐成花紋後用藥焊於器表，再以隨類附彩的方法將琺瑯釉料填進絲間，經焙燒、打磨、鍍金而成。

# 紫檀荷式大椅

**077**

明（1368 — 1644）

高 109 釐米，寬 98 釐米，縱 78 釐米

古人席地而坐，沒有椅子。牀是臥具，也是坐具。五代畫家顧閎中畫的《韓熙載夜宴圖》中已經有椅子和繡墩。到了宋朝，椅子已漸漸流行。而且椅子種類很多，有「金交椅」「銀交椅」「白木御椅子」「檀香椅子」「竹椅子」「黃羅珠蹙椅子」等。

　　南宋前期，椅子雖然已經相當普遍，但可能只限於士大夫家裏廳堂會客用。至於內室起居還習慣於坐牀。宋、元時代椅子名目雖多，還沒有用紫檀木製作傢具。到了明代，紫檀木才開始盛行。紫檀椅子也有很多類型。這件「紫檀荷式大椅」，屬於單獨陳設類型的傢具，沒有成對的，可姑且稱之為牀式椅。這種椅子在皇宮中可以和屏風、宮扇在一起，設在屋宇明間的正中，成為便殿寶座的形式。在住宅或花園中，可以設在大書案的後面，當作寫字看書用的，或設在面窗對景的地方。總之這種大椅在室內是有固定位置的，不輕易挪動。明朝人所謂「仙椅」「禪椅」，都是

為默坐凝神，可以盤足後靠。椅背上有一寬厚的橫木，作枕頭用的。

　　「紫檀荷式大椅」的製造，除座面是光素的以外，荷花荷葉佈滿整體。背上枕頭處很巧妙的是一柄荷葉，整體的做工光滑圓潤。凡傢具上雕刻花紋，都是經過高度圖案化的，而這件紫檀大椅上面的荷花、荷葉、梗、藕，自上而下，是以花葉的自然形態佈滿整體，很像元、明時代雕漆花卉盒盤一類的手法。在傳世的明代傢具中僅此一件。不僅雕飾上有如上的優點和特點，更主要的是取材厚重，木質精美，造型圓渾，舒適耐用，符合傢具藝術的最佳標準。

# 078

# 黑漆嵌螺鈿雲龍紋大案

明・萬曆（1573 — 1620）

高 87 釐米，長 197 釐米，寬 53 釐米

螺鈿，就是在漆器上嵌貝殼作為裝飾。1964 年在洛陽龐家溝西周墓出土的鑲嵌蚌泡的朱黑兩色漆器托，是現在已經發現的最早的實物。到了唐代的漆背嵌螺鈿鏡，更是這項工藝比較成熟的器物。元至明初是螺鈿

「黑漆嵌螺鈿雲龍紋大案」為平頭式，四足縮進安裝，不是位在四角，這是明代流行的一種最普遍的形式。案面嵌螺鈿五龍，通體龍紋，「大明萬曆年製」款在案面下。故宮藏品中，有萬曆年款的大案只此一件，這是明代「御用監」的製品。

**御用監**

官署名。明代宦官掌管的二十四衙門之一。掌管造辦御用圍屏、牀榻等木器及紫檀、象牙、烏木、螺鈿等玩器。

工藝的大發展時期。元大都出土的嵌螺鈿廣寒宮圖形殘器，是平脫薄螺鈿的做法，十分精緻。這是唐、宋以來，從鑲嵌較厚的螺鈿的方法上，又開創了嵌薄螺鈿的方法。厚螺鈿有潔白如玉的，有微黃作牙色的。薄螺鈿有青色閃綠光的，有淡青色閃紅光的，有深青色閃藍光的。嵌薄螺鈿是在花紋畫面的不同部位，採用不同色澤的螺鈿，鑲在漆器上，使它達到近似設色的效果。這件「黑漆嵌螺鈿雲龍紋大案」，屬於厚螺鈿的做法，又稱硬螺鈿；圖79展示的「黑漆嵌螺鈿間描金職貢圖長方盒」，屬於薄螺鈿，又稱軟螺鈿。

## 079

# 黑漆嵌螺鈿間描金
# 職貢圖長方盒

清（1636 — 1911）

高6.8釐米，長40釐米，寬30釐米

殿後還有重重的宮闕，天空用金勾出
流雲及捲雲紋，雲間露三龍首用螺鈿嵌成。
最上部為峰巒叢樹，山頂用金作皴，也有
以渾金作山，留出線條，作為輪廓。山壑
佈滿石樹。山石用鈿片或鈿沙嵌成，也
有用赭色漆略微堆起，上面描金的。從

　　該盒長方形，盒面嵌薄螺鈿間描金「職貢圖」。
畫面下半部為三孔大石橋，用不同色的鈿片嵌成
「虎皮石」砌橋。橋上有二十七人，其中有驅象的，
牽獅子的，曳駱駝的，有二人抬一大木籠的，手中
捧珊瑚明珠的。內有高冠勾鼻虯髯的「番人」。石
橋盡端與欄杆相接，欄杆外，下臨澗壑，內為平
道，行人絡繹成行。道路斜上，直通大殿，殿外在
地上叩拜的十七人，左右有人侍立。

漆質、形制及圖案來看，當是清康熙時代
所製。這是軟螺鈿加描金的做法，是色彩
豔麗的工筆金碧山水畫都難以比擬的精品。

# o80 匏製蒜頭瓶

清·康熙（1662 — 1722）

高 13.8 釐米，口徑 4.1 釐米，足徑 7.2 釐米

匏（音袍）器，又名葫蘆器，是中國特有的一種人工與天然相結合的工藝美術品。這種工藝是把初生的嫩匏納入模範中，使它長成各式各樣的器物。天然果實的形態方圓悉隨人意，不施雕琢而花紋款識勝過雕琢，宛若天成。

清代宮中範製匏器，始於康熙時期。故宮的藏品有年款的匏器尚未見到有早於康熙的。乾隆十二年丁卯（1747）御製《詠壺盧器》詩，其序中說：康熙時命奉宸院種植葫蘆，把不同器形的模子套在嫩葫蘆上面，等待葫蘆長大成熟，就可以做成想要做的碗、盂、盆、盒形匏器。乾隆還有詩詠康熙的一個葫蘆碗。詩裏面提到康熙曾在大內西苑的豐澤園種植葫蘆，這裏是康熙親自選擇優良稻種的試驗田，並且說所詠的這個葫蘆碗，底有「康熙御製」的款識，色澤古穆，已是百年（距離乾隆題詩的時間）的物品了。

葫蘆器的製造，雖然是用雕成的木模，包在嫩葫蘆上等待它漸長漸滿，天然長成，但千百件中僅成一二件完好的，很難得，所以葫蘆器精品還是非常珍貴的。

康熙時的匏製盤碗，有相當多是光素的，通體只有弦文三道，黑漆裏，足內有「康熙賞玩」楷書款。它們可能是早期初試範匏時的製品。後來的「六瓣碗」「纏枝蓮壽字盒」「八方筆筒」上面模印唐人五言流水詩等器就和初期製品不同了，造型和紋飾都很妍美。這裏介紹的蒜頭瓶就是這類面貌，瓶肩有仰俯

中國匏器這種工藝美術品歷史悠久，日本法隆寺原藏有來自中國的「唐八臣瓢」，器形似蓋罐，圖像為人物三組。據文獻記載，在明代有花紋和文字的匏器已是民間常見的一種工藝美術品。

雲紋，腹有蓮紋，由於瓶身分瓣，顯得花紋格外突出，而且色如蒸栗，瑩澈照人，是匏器中的珍品。

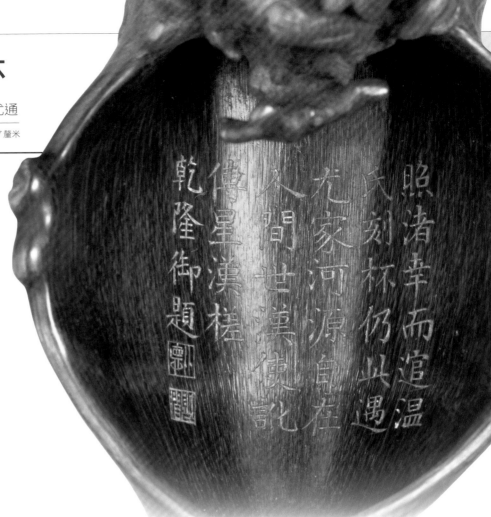

# 081　犀角槎杯

清（1636－1911）尤通

高 11.7 釐米，長 27 釐米，寬 8.7 釐米

照渚幸而適溫

天刻杯仍此遇

尤家河源自在

人間世美使

傳星漢槎

乾隆御題

犀牛的角是非常珍貴的藥材，再經名手
雕成酒杯就更可貴了。這件槎杯的作者尤通，
字雨源，生於明朝末年，江南無錫人，是一位
善於雕刻犀角、象牙、玉石玩器的名手。少
年時期，他的親戚家有一個寶愛的犀角杯，被
他父親借來賞玩。正值尤通家有一枝新犀牛
角，於是就仿製了一個犀杯，款式、紋飾都與
原物相同。但因為新的犀牛角顏色和舊犀杯
不同，他搗鳳仙花的汁，按照染紅指甲的方法
把新仿製的犀杯染成舊犀杯的色澤，拿給他
的親戚看，物主也不能辨認是否原物，足見尤
通少年時的技藝已經很高明。所以人稱他為

雕刻藝術，自宋朝以後有個新的風尚，就是牙、角、竹、木、金、石等材料雕刻的小型器物，當作几案上可與文房四寶一起陳設的清供。元、明兩代這類工藝美術品異彩紛呈，燦然奪目。清代又有許多名家，出現了不少精心製作的作品。本卷收錄的「犀角槎杯」「黃楊木雕東山報捷圖筆筒」和「象牙雕漁樂圖筆筒」，就是明末到清前期的精品。

「尤犀杯」。後來到了清朝康熙年間，他被徵召入宮內，為皇帝製作器物。年老回家以後説，在宮內曾在一個比桂圓還小的珠玉上刻《赤壁賦》，説明他老年的技藝更精進了。

這件槎杯是尤通的代表作之一。槎的解釋已見前面朱碧山製銀槎一文。這件槎杯和朱碧山所製是一個題材，但槎的式樣、仙人的神態等都不同。就如畫家們同畫一題材，各有不同的表現方法就有不同的面貌是一個道理。相同的是它們的用途都是喝酒的杯。

杯腹中鎸刻楷體乾隆御題詩及「比德」、「朗潤」二方印。槎首前面刻篆文「再來花甲子」和「尤通」字款，下有「雨源」小印。

082

# 黃楊木雕東山報捷圖筆筒

清（1636－1911）吳之璠

高 17.8 釐米，口徑 13.5 × 8.5 釐米

吳之璠，字魯珍，別號東海道人，嘉定人，是清代刻竹名家之一。明以前沒有專以刻竹著名的，自明中期以後，有嘉定的「三朱」（朱松鄰、朱小松、朱三松），金陵的李、濮（李耀、濮澄），都是刻竹名家。所謂嘉定、金陵兩派就是指他們而言。

吳之璠就是朱三松以後嘉定派第一名手。他刻竹年款多在康熙前期，也就是他創作最旺盛的時期。這件筆筒是黃楊木雕，但刻法與竹筆筒無異。刻竹的方法有兩大類：一類為竹面雕刻，如筆筒、扇骨、臂擱等；一類為立體圓雕，如用竹根刻成立體形象及器物。竹面雕刻中有陰文、陽文之分。陰文、陽文中又各有若干具體不同的刻法。如這件筆筒，是屬於陽文的高浮雕。此圖表現的是「淝水之戰」主題，畫面中東晉宰執謝安與客下棋。謝安的身旁是一個觀局者，身後有幾個侍者，對面是下棋的客，是一幅近景。為了使人、樹、山石等格外凸出，所以高處要更高，低處就必須更低，這就是學「三朱」深淺多層的方法。高凸處接近立體圓雕的意味。對弈的客人注視着棋盤，而謝安和觀局者正向客人有所詢問，表現出謝安棋高一着，伸手就要勝幾着棋的神態。另一面是飛騎報捷的人員，侍女們則互相竊説，彼此呼應。署款「槎溪吳之璠」。有乾隆御題詩一首。

**嘉定「三朱」**

**朱松鄰**　（生卒年不詳），名鶴，字子鳴，號松鄰。嘉定（今屬上海）人。活動於明代正德、嘉靖年間。刻竹擅長深刻法，為嘉定派竹刻的開山始祖。

**朱小松**　（生卒年不詳），朱鶴子。名纓，號小松。活躍於萬曆、天啟時，書法工小篆及行草，作畫長於氣韻，刻竹師承家法。有詩集《小松山人集》一卷傳世。

**朱三松**　（生卒年不詳），朱纓子，名稚徵，號三松。較全面地繼承了家族的雕刻技藝。

**濮澄**　（1582—？），字仲謙，金陵人。竹刻金陵派創始人。明末作家張岱（1597—1679）在《陶庵夢憶》中專門記載：「南京濮仲謙，古貌古心，鬻鬻若無能者，然其技藝之巧，奪天工焉。其竹器，一帚、一刷，竹寸耳，勾勒數刀，價以兩計……」

**李耀**　（生卒年不詳），名昭，字文甫，明代竹刻家，金陵派的先驅。濮澄刻扇，就是步李耀後塵。

下部刻篆書「八徵耄念之寶」璽。詩的大意是：歌頌大禹治水的功德是萬古不朽的。這樣一塊像山峰似的大玉材，如果製造尊罍一類的器物，那就大材小用了。宮中所藏《宋人畫大禹治水圖》是一幅名畫。把它體現在大玉山上，那將是永遠不會被損壞的紀念物。也只有「功德垂萬古」的聖跡刻在這樣的大玉上才相稱。現在玉山已製成，自從採玉開始，十年之久，耗費許多人力物力。乾隆還告誡子孫，如果僅僅為了追求珍玩，今後絕不允許再做這樣的事。從詩中也可知道製造玉山的本末和目的。

文，命賈銓照圖式樣在玉上臨刻。乾隆四十六年（1781）二月二十七日，撥得玉山蠟樣及畫得正背左右畫樣四張。同年五月初七日，乾隆批准蠟樣和畫樣，經過運河把大玉載往揚州，交兩淮鹽政圖明阿選玉匠照樣製造。後來因恐蠟樣日久熔化，又照樣刻成木樣。自乾隆四十六年九月在揚州開工，到乾隆五十二年（1787）六月完成，歷時七年零八個月。同年玉山再經運河運到北京，九月間安設在寧壽宮樂壽堂。乾隆五十三年正月二十五日，命造辦處如意館的刻玉匠把御題詩刻在玉山的背面。

　　「青玉大禹治水圖山子」所用的工時和造價，已無精確的資料可據。但根據另一件玉山「秋山行旅圖玉山」的製造資料可以推斷大約的數字，其造價約是「秋山行旅圖玉山」的四倍。根據「秋山行旅圖

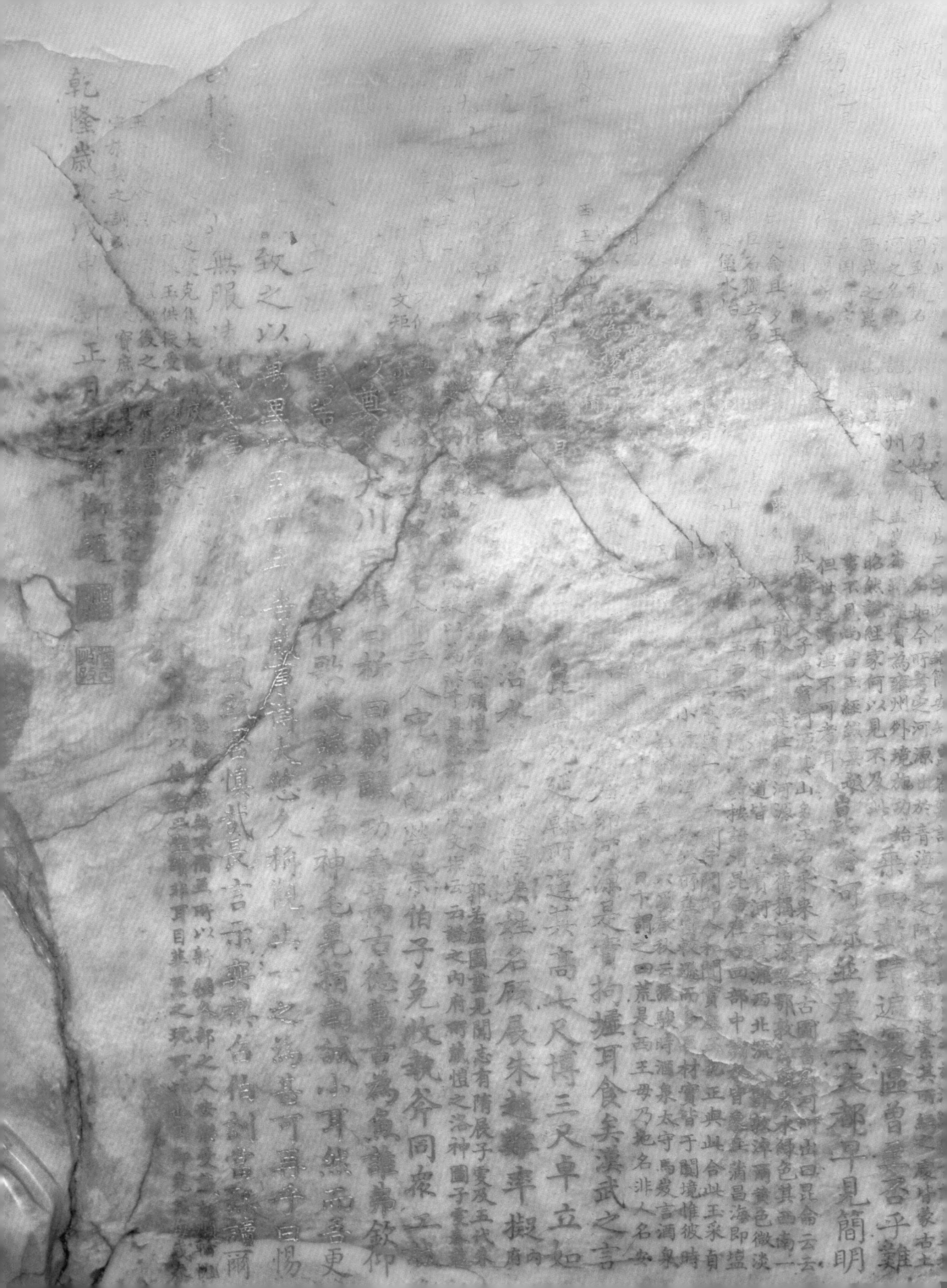

致之以萬里王
無限法⋯⋯

⋯⋯

⋯⋯慎哉晨言示典
⋯⋯伯訓萬⋯⋯更
⋯⋯爾

⋯⋯尉德七慈久
⋯⋯古德為鼠譁歸欽仰
⋯⋯神龜龍誠小耳然而各更
⋯⋯之為甚可畏矣曰惕

子免枚說斧同衆工
⋯⋯圖書見聞志有陶展子
⋯⋯之內所藏恒之洛神
⋯⋯圖子虔及五代未
⋯⋯名厥

道崑崙遷此高七尺博三尺卓立如
⋯⋯展朱色華率擬
⋯⋯

⋯⋯是其拘墟耳食奏漢武之言
⋯⋯

河源⋯⋯
⋯⋯河源施於青海
⋯⋯始乘河承並震王夫都平見簡明

張⋯⋯
⋯⋯但⋯⋯今
⋯⋯家何以見不及功
⋯⋯見⋯⋯乎難吾平難

道被循⋯⋯
河源⋯⋯
都中⋯⋯

正典此即出田崑崙命云
水綠色其一南黃
微色淡滿即盤昌海有
象時馬愛言澗淡云
泉太守乃是西王毋乃記非人名如

玉山」的工時和造價，估計「青玉大禹治水圖山子」從打坯到製造完成，不包括刻字工時，不包括在山上開採玉料，一系列的運費也都不計算在內，只計製造，大約工程量為十五萬個工作日，需白銀一萬五千餘兩。按當時物價，可折合大米一萬六七千擔（一擔約合六十公斤）。如果開採運輸的工時和銀兩加在一起，將若干倍於此數。

　　「青玉大禹治水圖山子」的製成，在玉器工藝美術史上是一次偉大的創舉，顯示了中國人民的才能與智慧。

**秋山行旅圖玉山**

高 130 釐米，底寬 70 釐米，厚 30 釐米

據檔案記載，此玉山於乾隆三十一年（1766）十一月十三日開始製作。初期製作在北京，後因進度遲緩，遂被運往兩淮，由揚州承做。告竣時間不晚於乾隆三十五年（1770）。清代大型玉雕作品有一個共同的特點：皆不以玉料的好壞作為衡量作品優劣的唯一標準。有些質地欠佳，但經工匠的精心設計後，成為珍品。

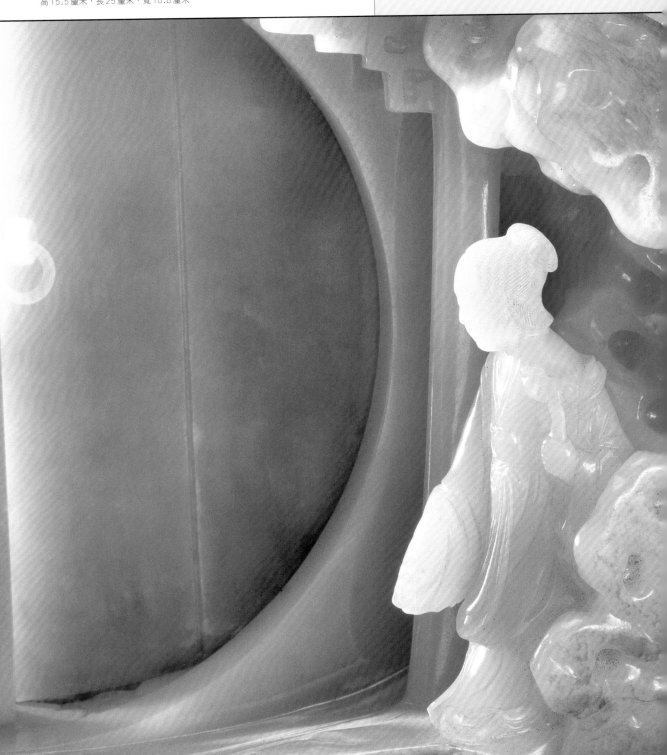

085

# 桐蔭仕女玉山

清·乾隆（1736 — 1795）

高 15.5 釐米，長 25 釐米，寬 10.8 釐米

清乾隆時期，是我國琢玉工藝高度發展的階段，「桐蔭仕女玉山」就是當時的傑作。這是一塊黃白色整材，本是雕玉碗取材的剩料，經蘇州工匠化拙為巧的鬼斧神工處理後，仿宮內油畫《桐

蔭仕女圖》而作。在御製詩後，乾隆皇帝撰文說明此事：「和闐貢玉，規其中作碗，吳工就餘材琢成是圖。既無棄物，且乃完璞玉。御識。」

明清兩代玉雕廣受繪畫的影響，許多清代宮廷畫家都為玉雕進行過設計，給玉雕帶來了更多的文化內涵，使其有了更為強烈的文人文化傾向。

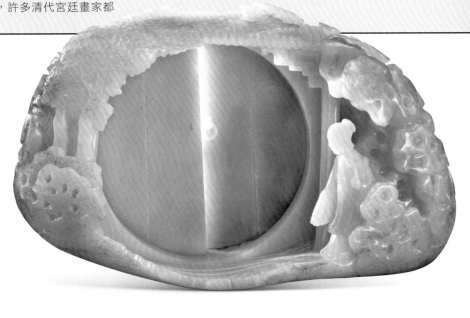

**乾隆御詩拓片圖**

「桐蔭仕女玉山」是用一塊玉子就其天然形體琢成的。底有乾隆御製詩一首，並序：「相材取碗料，就質琢圖形。剩水殘山境，桐簷蕉軸庭。女郎相顧問，匠氏運心靈。義重無棄物，贏他泣楚廷。」序中敍述，這是一塊做玉碗取坯後剩下的廢材，取其玉質溫潤，在造辦處當差的蘇州玉匠利用廢材，精心設計製造的一個玉山子。在中間琢成一個洞門，四扇屏門，中間半掩，門外一人拈花，門內一人捧盒，內外相望。用玉子表面赭色的皮部做桐、蕉、山石。用潔白部分做石桌、石凳。是一件巧作的精品，是清代圓雕玉器的代表作。

# o86 木胎海棠式盆翠竹盆景

清（1616—1911）

通高 18 釐米，盆口最長 23.5 釐米，
最寬 16 釐米

　　清代養心殿造辦處的「玉作」「雜活作」「牙作」「累絲作」「鍥（音減）金作」合製的盆景，有許多從設計、選料、製造上說，都堪稱是上乘的精品。這些盆景是雍正元年（1723）以來，造辦處特有的。造辦處主要的總設計人是從內務府員外郎出身後來做到內大臣的海望。當然每個製作環節還有許多設計者，同時也是作者。造辦處所制盆景或瓶花，章法是畫意的經營，色調顯示其選料的質美。譬如造一棵鳳仙花盆景，用牛角做梗，把充滿水分、半透明的露出纖絲筋脈的鳳仙花梗特點表現無遺。製造盆景的名手是在造辦處當差的蘇州能人施天章。

　　這件盆景主要是「玉作」和「纍絲作」合製。由「纍絲作」制銅鑿花鍍金盆，「玉作」製翠竹。景的內容是一叢經過砍伐的老竹，從根部又生出嫩葉。粗壯的竹根，充分表現翡翠的質美。竹竿旁放置青玉湖石三具，並翠竹筍一隻。章法疏朗有致，配上銅鍍金盆，上下金碧相映，是一件精巧而又脫俗的案頭清供。

# 087 碧玉仿古觥

清 · 乾隆（1736 — 1795）

高18.7釐米，口寬7.4釐米，足距7.7 x 4.2釐米

清代養心殿造辦處「玉作」製造的範圍是：以玉為主，同時包括一切需要砣工製造的物料，如瑪瑙、碧璽、翡翠等；還有天然的礦物和經過燒煉的各色玻璃料，都包括在內。當時的許多城市也有玉匠，如蘇州、揚州和回部地區均是高手集中地，他們製造的玉器成為流通市場的高級商

　　乾隆的諭旨很切中當時玉器製造的時病。這件碧玉仿古觥是養心殿造辦處所製，屬於杜奇歸樸、糾正時病的器物。其仿古銅器的饕餮紋和墨綠色玉質，呈現出銅鏽斑的色澤，是造辦處的精品。當時

造辦處的工藝者，都是各地方選送的高手，待遇優厚，在製造時又有素養很高的專家設計。所以造辦處製造的器物都是工精質良，在工藝美術史上佔很重要的地位。

品。因商業競爭以致爭奇鬥勝。由於鹽商競出高價購買，乾隆時期揚州市場上曾出現大量玲瓏剔透的玉器，甚至回部地區也相習成風。當時的鹽政和織造把這種玉器作貢品，遭到乾隆皇帝的申斥。乾隆五十九年（1794）八月十四日，曾有一道諭旨給揚州鹽政和蘇州織造，大意是說此後務須

嚴行禁止鏤雕這類玉器。因為凡是容器，鏤空之後沒甚麼用處，即使不是容器，通體玲瓏則玉質的美完全消失了，致使完整玉料都成廢器。

**觥**

流行於商晚期至西周早期的盛酒器。橢圓形或方形器身，圈足或四足，帶蓋。

## 088 畫琺瑯花鳥紋瓶

清・乾隆（1736 — 1795）

高 44 釐米，口徑 14 釐米，足徑 15.2 釐米

畫琺瑯這一工藝美術品種，在清代康熙、雍正、乾隆三朝獲得空前的發展。雍正年間，養心殿造辦處從原來採用西洋料發展為自己燒煉琺瑯料

當時銅胎畫琺瑯器的製造地點，有廣東、揚州和北京。北京在當時還沒有民間的作坊（康熙到乾隆時期），只是養心殿造辦處有「琺瑯作」。這個「琺瑯作」內的人員，除從廣東、江南挑選優秀工匠以外，還有江西燒造瓷器處送來的工匠，另外還有畫院處的畫家。所以這個品種在康、雍、乾三朝呈現着非常繁榮的景象。

康熙款的釉質，細膩溫潤而不以光亮取勝。有白釉地繪疏朗的工筆花鳥小瓶；有黃釉地圖案化的花卉盤、碗、花籃等；還有一道釉的器物。雍正時期除原有的瓶、罐、盤、碗等，新的品種有冠架、鼻煙壺等；新的花色有黑地、百花和皮球花

九種，是當時西洋料所沒有的顏色品種。後來又新增九種，連同原有的西洋料十八種，共有三十六種顏色的琺瑯料。

等。到乾隆時期，製造範圍擴大，宮內陳設裝飾和使用器物大至屏風，小至燜壺無所不備，裝飾性非常強。又吸取了瓷器、漆器、織繡、銅器的圖案組織而出現許多新內容。釉色和花紋繼承以往的優點以外，盛行錦地開光人物、山水、花卉等，並有胭脂水或青花的山水，描繪生動精細，其錦地在一個器物上常有幾套幾層不同組織的花紋。釉色有無光而細膩如凝脂的，有含玻璃質感的。

　　這件花瓶就是屬於玻璃質感的，瓶面上有一層堅脆的清光，籠罩着絢麗的花卉。造型穩重，是大型銅胎畫琺瑯瓶類中的珍品。

**畫琺瑯**
金屬胎琺瑯工藝之一。是先在紅銅胎上塗白琺瑯，入窯燒結後，在其表面以各色琺瑯料及金繪畫圖文，再經焙燒而成。其工藝燒製成功於康熙年間，晚於鏨胎和掐絲琺瑯。

# 089 百寶嵌花果紫檀盒

清・乾隆（1736 — 1795）

高 6 釐米，長 27.5 釐米，寬 22 釐米

百寶嵌這種工藝由來已久。據文獻記載，漢朝已有之。本書所選的兩件百寶嵌的做法則始於明朝。其法以金、銀、寶石、珍珠、珊瑚、碧玉、翡翠、水晶、瑪瑙、玳瑁、硨磲、青金石、綠松石、螺鈿、象牙、蜜蠟、沉香等物作原

「百寶嵌花果紫檀盒」是乾隆時代的百寶嵌精品。百寶嵌的嵌物，有微凸如浮雕的，有表面齊平不見起伏的。紫檀盒的做法屬於前者。

「百寶嵌花果紫檀盒」，長方圓角式，金星紫檀木。盒面上嵌藕、蓮蓬、茨菇、白菊、黃菊、芙蓉、蘭花等花果一簇。稿本當然仍是繪畫，但效果不同於繪畫。是百寶嵌中的珍品。

藕的選料也說明製作手法的高妙。藕身用白玉，但露孔處的剖面用螺鈿，雖然同是白色，而螺鈿的亮度和白玉不同，這就顯出藕身有皮色，剖面則白亮有水意。再有同是綠色的蓮蓬用碧玉，而菊葉用孔雀石，又出現不同的效果。蘭花用青玉，紅果用紅瑪瑙，各有其質美。

# 織繡

中國是絲綢的發源地。距今五千多年的原始社會時期，就開始利用蠶絲。考古工作者先後在山西、河北、河南、遼寧、江蘇和浙江餘姚等新石器時代遺址，發現過蠶繭、陶蠶蛹、石蠶蛹、黑陶蠶紋裝飾、骨器蠶紋裝飾等遺跡。1958 年在浙江吳興錢山漾新石器時代遺址發現了經緯密度每釐米達 48 根的絲絹，這些都表明了中國絲綢歷史源遠流長。

瑞典遠東古物博物館保存的從河南安陽出土帶有回紋綺痕跡的商代銅鉞和故宮博物院保存的帶有雷紋綺殘痕的商代青玉戈，更可證明商代已經揭開絲綢織花的序幕。到了周代，朝廷已對絲綢手工業設立專官和專業作坊進行管理和生產，當時織錦和刺繡已經具有較高的工藝水平。公元前 770 至公元前 221 年的春秋戰國時期，中國兗、青、徐、揚、荊、豫等州都有絲綢的特產。絲綢的品種已有帛、縵、絺、素、縞、紈、紗、縠、綢、纂、組、綺、繡、羅等。高級的絲綢已成為諸侯朝見天子以及諸侯間互聘、會盟必用的禮品。在湖南長沙烈士公園和左家塘、河南信陽長台關、湖北荊州八嶺山等地戰國楚墓出土的錦繡，有的被貼裱在棺木上作裝飾；有的用來做被褥衣服；有的成

匹地用來殉葬。荊州八嶺山出土的戰國織錦，織法精細，配色清雅，錦面龍鳳圖案穿插重疊，非常美麗。長沙左家塘出土的戰國織錦，花紋格式多變，工藝上已採用牽彩條及增牽特殊掛經等各種方法。長沙烈士公園和荊州八嶺山出土的戰國刺繡的圖案，龍遊鳳舞，猛虎瑞獸，活躍於穿枝花草之中。這些圖案的形式及題材內容，還與 20 世紀 60 年代在蘇聯巴澤雷克公元前 5 世紀時期遊牧民族部落貴族墓中出土的中國絲綢地鳳鳥穿花紋刺繡鞍褥面紋樣近似。中國絲綢在先秦時期，已由秦國運往北方，與北方遊牧民族交換戰馬。通過巴澤雷克出土的中國絲綢刺繡，更足以說明中國絲綢刺繡，在公元前 5 世紀時已經通過北方草原遠銷到歐洲地區。

公元前 139 年，張騫出使西域，開通了從中國通往西域的南北兩條大路。中國的絲綢就源源不斷地運到歐洲，為東西方物質文化的交流作出了巨大的貢獻。從此中國就被譽為「絲綢之國」，由中國西北通往西域的道路，也被歷史學家稱為「絲綢之路」。

張騫塑像　　　　　張騫郵票

**張騫**（？—前 114），字子文，漢中郡城固（今陝西省漢中市城固縣）人，漢代外交家、探險家，「絲綢之路」的開拓者。西漢建元二年（前 139）奉漢武帝之命，由長安（今陝西西安）出發，率領一百多人出使西域，打通了漢朝通往西域的道路。

漢、唐以來，中國的絲綢品種不斷豐富，工藝技巧不斷提高。例如漢代的起絨錦，在織物表面織有由經線織出來的絨圈形浮雕狀的花紋。漢代的經錦，以多組彩色經絲起花，能織出構圖十分複雜，色彩莊重富麗，帶有吉祥含義銘文的山脈、雲氣、動物圖案。唐代創造了緯絲起斜紋花的綾、錦、雙面平紋錦、印經綢、夾纈、蠟纈、紅線毯及緙絲等新品種。紋樣構圖宏偉、形象豐滿、色彩鮮麗。

宋代織錦，將花紋組織與地紋組織分開，並開始運用小梭管挖織局部彩花的新技術，使得錦緞紋地清晰，花紋色彩更加富麗。當時還創造了具有寫生風格花式的「宋錦」。例如：如意牡丹紋錦、宜男百花紋錦、穿花鳳紋錦、百花攢龍紋錦、大百花孔雀紋錦、天下樂錦等，都是形象寫實、生動的宋錦典型紋樣。宋代織錦圖案向來以典雅優美而稱著，寫生風格的圖案多為後代織錦所仿效。明、清時期蘇州所織著名的「宋式錦」，就是在這個傳統的基礎上發展起來的。宋代的刺繡和緙絲技藝已發展到能

### 錦緞
泛指具有多種彩色花紋的絲織物。生產難度高，織造難度大，是古代最貴重的織物。其中明清時期的妝花緞，更是中國織錦最高水平的代表。

夠仿製畫院工筆繪畫，並足以亂真的高超水平，而且比畫更有質感和光澤。史稱「宋繡針路多變，用線細於髮絲」。宋代緙絲則出現了像朱克柔、沈子蕃、吳煦等著名藝人。元代是金銀線織物高度發展的時期。元代統治者最喜歡的「納石失」，就是文質富麗的織金錦。明、清兩代在江南三織造所在地區南京、蘇州、杭州生產高級絲綢，如各種織金錦、妝花錦、織金妝花錦、重錦、宋式錦、匣錦、閃緞、織金緞、暗花緞、兩色緞、妝花緞、加金妝花緞、遍地金妝花緞、孔雀羽織金妝花緞等，花色品種更是多不勝數。

緞是宋、元時期新出現的品種。明、清時期在緞組織地上提花的技術高度發展。明代生產多為五枚緞。明末新創，到清乾隆時期大量生產的入絲緞，緞面瑩潔光亮，質地柔軟，美觀實用。在此基礎上再以數種甚至數十種不同顏色的小管梭，用「挖花」技術織出絢麗多彩的花紋，這種織物就是妝花緞。並可按服裝款式、牀椅鋪墊、幔帳等成品的形式規格生產「織成」料。有的更在原料

### 江南三織造
清代在江寧（今江蘇南京）、蘇州和杭州三處設立的、專辦宮廷御用和官用各類紡織品的皇商，即江寧織造、蘇州織造、杭州織造。

中加入片金、片銀、捻金線、捻銀線、孔雀羽線等，使織品更加高貴豪華。

明、清時期的緙絲，常常製織複雜的巨幅作品。織工細巧，餖色技法也有更多的變化。為了藝術效果更加逼真，有時也在某些主體花紋上加繡，或局部用彩筆加繪。刺繡自明代以來，在一些大城市出現了商品性生產的繡畫。崇禎（1628—1644）時上海露香園韓希孟摹繡名人書畫，以精巧著名，稱為「顧繡」。和顧繡特點成對比的山東「魯繡」（俗稱衣線繡），常在暗花綾緞上用雙股捻合的花線繡花，有厚重樸實的感覺。北方還流行用衣線在紗地上滿地納繡的「灑線繡」和用釘線法繡花的「緝線繡」，及用捻金捻銀線盤釘繡花的「平金繡」。這三種繡法在北京定陵出土的文物中有大量發現。

清代大部分宮廷御用和上用的刺繡品，均由宮廷如意館畫工

京繡

湘繡，擘絲細，所擘之絲，用莢仁溶液蒸後裹竹紙揩拭，以防絲絨起毛，故光細勝於髮絲。這種繡品，當時被稱為「羊毛細繡」。湘繡設色素淨，要求符合物像本色。針法吸取蘇繡的特點，渲染陰陽濃淡，暈色如畫。

中國織繡源遠流長，閃爍着東方文化藝術的光芒。故宮博物院收藏的傳統織繡珍品非常豐富，收入本書的這十件織繡，是包括了織繡工藝各門類的極精品，有的還是舉世無雙的藝術珍寶。

繪製花樣，發送江南三織造管轄的織繡作坊照樣繡製，無不工整精美。同時在民間先後出現了以商品生產為目的的地方繡。最著名的地方繡，有以北京為中心的「京繡」和分別以蘇州、成都、廣州、長沙為中心的「蘇繡」「蜀繡」「粵繡」「湘繡」，它們各具地方藝術的特色。後來蘇、蜀、粵、湘四種地方繡，被稱為「四大名繡」。

京繡，圖案結構嚴謹，裝飾華麗。繡種多樣，包括戳紗繡、鋪絨繡、釘線繡、網繡、平金繡、堆繡、穿珠繡以及十字挑花等。

蘇繡，繼承和發揚了宋代繡畫的傳統，講究以針代筆，突出針法效果。繡工細密不露針跡，絲理圓轉自如，繡面平服。配色採用同類色或含灰對比的退暈方法，色彩沉靜雅潔，並發展了一次繡作過程中完成雙面圖案的「雙面繡」技藝，兩面針法、色彩都相同。

蜀繡，是在當地民間繡的技藝基礎上吸收明代顧繡藝術的長處，而發展成為著名的地方商品繡。繡品以厚重工整、色彩鮮麗、有針工的裝飾見稱。

粵繡，又稱廣繡。構圖豐滿，形象逼真。施針簡快，針線重疊隆起。配色鮮麗明朗，光澤眩目，並常用孔雀羽線、捻金線配合繡花，生動活潑。

蘇繡

湘繡

蜀繡

粵繡

# 091

# 球路雙鳥紋錦夾袍

北宋（960 — 1127）

身長 138 釐米，通袖長 194 釐米
袖口寬 15 釐米，下擺寬 81 釐米

錦是中國著名的高級絲織傳統品種，它的歷史可追溯到西周時期。據考古發現，從西周到唐朝以前的錦，都是用經絲顯出花紋的，稱為「經錦」；唐代初年始見有由緯絲顯現花紋的「緯錦」，以後緯錦就逐漸取代經錦。

這件用緯錦製作的夾袍，是在古代「絲綢之路」途經的新疆維吾爾自治區阿拉爾木乃伊墓出土的。錦袍為半掩襟，交領，窄袖；後身開裾，高於臀部。全袍以球路雙鳥紋錦作面料，用素綢作裏，鸂鶒團

花錦鑲領邊，袖口鑲接一段雙雀欄杆錦袖頭。領、袖、襟的外緣，鑲着羊皮「出風」，出土時羊皮已殘留無幾。

所用錦地面料球路雙鳥紋錦，經絲為黃色，緯絲有淡黃、黑、黃綠、白四色。由緯絲顯花，基本組織是三枚緯向斜紋，花紋的骨格是圓形的交切與重疊，這種格式是宋代絲綢圖案中流行的式樣，稱作球路紋。在球路紋的圓圈中，填充背向對稱的雙鳥。鳥的姿態舉翅昂首，似在奮翼起飛，背靠直立的花樹。圓圈的周邊，飾以幾何連錢紋和古波斯式的連珠紋。在圓圈的交切處和空隙部位裝飾的連珠四葉和四鳥紋團花，也都帶有波斯風格的影響，融合了中西方的裝飾特色。袍領用的鸂鶒團花錦花紋，鸂鶒在圓形中間回旋穿花飛翔，團花外圍以四面對稱組合的花葉佈地，是中國唐、宋間流行的圖案格式。兩袖口縫接的雙雀欄杆花紋錦，也是唐以來工藝裝飾花紋中常見的式樣。

　　這件錦夾袍出土時穿在一個身高1.9米，頭部蒙着白綃的男性木乃伊身上。死者是維吾爾族的一名武將。從袍長和木乃伊身長的比例看，夾袍比木乃伊身長短62釐米，與唐以來「胡人俑」服制比例相合。在唐閻立本《步輦圖》所繪吐蕃來使身上，可以看見和這件夾袍式樣及圖案格式十分近似的服裝圖像。

　　中國古代生產銷往西方的絲綢，常常選取符合西域人習慣穿用的花紋。例如新疆吐魯番阿斯塔那出土的北朝時期的「胡王錦」，在連珠紋中織着胡王牽駱駝；唐代有在連珠紋中織着兩個胡人圍着酒壺飲酒的「醉佛林錦」，都能說明這個情況。通過經濟的交往，西方藝術也給中國的民族藝術帶來了影響。這件球路雙鳥紋錦夾袍，正是中西經濟文化交流的象徵。宋代的織錦衣物留存至今的很稀少，這件錦袍能夠保存得這樣完好，對研究宋代織錦技術、裝飾花紋和兄弟民族的服裝樣式提供了珍貴的實物資料。

# 緙絲青碧山水圖軸

092

南宋（1127－1276）沈子蕃

長88.5釐米，寬37釐米

　　織錦和緙絲無論花紋、題材和形式設計
都有不同的要求。織錦多實用品，花紋佈局
一般是以一個花紋單位向四方連續擴展。也
有一些是按成品的形狀和裁剪方法分佈花
紋，連接成一匹匹料的。織造時，預先由專
門編織「花本」的「挑花匠」按設計花樣編成
「花本」。將「花本」裝到織機的「提花樓子」
上，由「挽花匠」坐在樓子上按順序拉動經

以釐米為單位

緙絲織機繪製圖

線，再由「織匠」配合着投梭織緯，就能自
動織出花紋。而緙絲不用「花本」，主要由
織工照着畫稿在很簡單的織具上從心所欲地
用雙手緙織成花紋。無論尺寸的大小，顏色

緙絲是著名的絲織技法。宋以來的著錄中，也有寫成「克絲」「刻絲」的，其含義相同。緙絲從質地分析，既不同於織錦，也不同於刺繡。刺繡是在某一顏色的絲織品上，用繡花針穿引花線，繡出高於絲織品表面的花紋。緙絲的花紋與底紋完全平齊。緙絲雖然和織錦都是經緯交織出花紋，但織錦用複雜的變化組織來織花，織物表面花紋清楚，反面有浮緯掩蓋，花紋雜亂不清，織物厚實。緙絲用單層平紋組織織花，織物正反兩面組織相同，花紋、顏色也完全相同，花紋邊界有刻裂現象，織物勻薄。

沈子蕃（生卒年不詳），南宋緙絲名匠，以摹緙名人書畫著稱於世。

的繁複，書法、繪畫、掛屏、圍屏、服裝、鋪墊、椅帔、宮扇、荷包等各類型的東西都可以緙織。

緙絲所用的是普通輕便的平紋木機。緙織時，先在織機上裝上經線，穿好平紋綜片和竹筘；再在經線下面挾上圖樣，織工透過經線可以看清圖樣中的花形和顏色，用毛筆將花紋輪廓描到經線上，按花紋輪廓，以各色彩絲小梭子分塊逐步緙織成表面平織的花紋。這種工藝，不像普通織物可以用大梭通幅到頭織造，而是要按花紋輪廓和顏色交接的邊界不斷換梭，所以非具有高度熟練的技巧和藝術造詣的織工不能勝任。由於緙絲不用通梭，人們都稱這種織法為「通經斷緯」，日本則稱作「綴織」。通經斷緯形成花紋邊界的刻縷效果，使緙絲的織紋如填彩，顯現出特殊的裝飾趣味。

通經斷緯的織法，在新疆出土漢及南北朝時的毛織品中已出現。唐代的通經斷緯織法的絲織品即為緙絲。北宋時北方貴族婦女已用緙絲製衣服和被面。

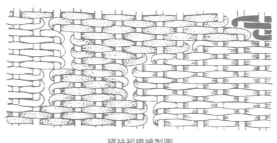

緙絲組織繪製圖

沈子蕃《緙絲青碧山水圖》軸採用了「滲和戧」「長短戧」「構緙」「平緙」「子母經」等方法。「滲和戧」是表現色彩由深到淺過渡的一種方法，其特點是深淺兩色的交替不絕對平均，並且是在色彩由上向下或由下向上縱向變化其深淺時使用。本幅山紋就是用「滲和戧」法緙成的。「長短戧」是利用織梭伸展的長短變化，使深淺兩種緯絲互相穿插，在兩色相互穿插的地方顯出暈色的效果。本幅「長短戧」緙法也見於山紋。「構緙」是在紋樣邊緣以另一顏色的絲線構緙出勾邊線，使花紋界劃清楚。本幅所有的輪廓勾邊線都是用「構緙法」織出的。「平緙」用於所有的平塗色塊。「子母經」用於緙織文字和圖章。此外，在山、雲、水等處局部還以淡彩渲染，使景物陰陽遠近，層次分明。這件緙絲運梭如運筆，不失分毫，線條勾勒有力，設色明麗天成。它再現了江南大自然空靈開曠的情趣，又具有筆墨山水畫所不能具有的工藝質感之美。是沈氏緙絲山水畫的代表作之一，是珍貴的文物。

# 緙絲東方朔偷桃圖

093

元（1271 — 1368）

長 58.5 釐米，寬 33.5 釐米

《緙絲東方朔偷桃圖》軸，是一件以宋代繪畫為稿本的精品。畫面內容是西漢武帝時，以詼諧滑稽聞名的文人東方朔，得道成仙之後在天上碰到西王母設蟠桃盛會，就大膽進去偷吃了蟠桃，被仙吏擒獲，請西王母發落。因他申辯語言滑稽，逗得西王母開心。後來西王母賜他瓊漿玉液，東方朔痛飲而歸。因這個故事非常有趣，富戲劇性，又有吉慶長壽的含義，人們一直樂於用之作美術品和工藝美術品的題材。

這件緙絲圖軸，畫面上緙織着從彩雲中露出來的結滿仙桃的桃枝，彩雲把天宮的地點環境巧妙地表現出來。畫面下緙織着靈芝、水仙、竹子和壽石，隱寓「靈仙祝壽」的吉祥語。畫面正中緙織着手捧仙桃、一邊奔走一邊回頭偷看的東方朔，把「偷」的心理狀態活生生地刻畫出來。

這件緙絲的畫面設計，採用填色、勾線、二色互相參差換彩等方法，發揮了緙絲工藝的特點。色彩配置鮮明而素靜。在淺米色地上，以石青、寶藍、淺藍、月白為主色，稍配水粉、瓦灰，十分和諧。在近景靈芝草的莖部，採用石青、駝色相捻合的「合色線」，也是一種新的創新。敷色方法，完全採用塊面平塗。在山石、衣服袖子及人物鬍鬚處，二色相遇時，則用緙絲工藝特有的戧色過渡（即不同色的小梭子交錯使用，使色彩自然過渡）。主要用「長短戧」的調色方法，使深色緯與淺色緯相互穿插，出現「空間調合」的暈色效果。再在花紋邊緣，以石青色的絲線構緙出勾邊線。這起着調和色階，又使花紋界劃分清楚的作用。這種緙法使整幅畫面具有很強的質感和鮮明的裝飾效果。

元代流傳下來的織繡文物為數不多，以人物故事為主題的緙絲圖軸為數更少。《緙絲東方朔偷桃圖》軸是故宮博物院收藏的元代緙絲品中工藝水平最高的一件珍貴文物。《秘殿珠林》著錄。本幅上鈐「乾隆御覽之寶」「乾隆鑑賞」「秘殿珠林」「三希堂精鑑璽」「宜子孫」諸璽。

韓希孟是17世紀中葉著名的刺繡藝術家。她夫家顧氏以閨閣刺繡而聞名，世以顧氏居所露香園，稱其家刺繡為「露香園顧繡」，或稱「顧氏露香園繡」，或簡稱「露香園繡」及「顧繡」。「顧繡」自嘉靖年間進士顧名世的長子顧匯海之妻繆氏開端，至名世次孫媳韓希孟時繡品最為珍貴著名，被稱為「韓媛繡」。在這之前顧家繡品多為家藏玩賞或饋贈親友之用。自名世死後顧氏家道中落，生活倚賴女眷的刺繡維持，於是顧繡從家庭女紅向商品繡過渡。由於顧繡的聞名，行銷暢通，清代晚期蘇、滬等地經銷刺繡的商店多以「顧繡」或「顧繡莊」冠其牌名。把當時蘇繡和顧繡混為一談，甚至把蘇繡稱為顧繡。實際這兩種繡類各有不同的藝術特點。

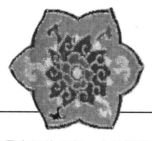

# 柿紅盤縧朵花宋錦

096

明（1368 — 1644）

長 142 釐米，寬 32 釐米

蘇州在明代是江南織造所在地，為當時著名的絲織生產中心。蘇州生產的宋式錦，以圖案色澤模仿宋代風格的優美秀麗而聞名。

「盤縧」紋是一種大、中型幾何花紋的名稱。在唐代就生產「盤縧」花紋的「繚綾」，當時「盤縧」紋綾為珍貴的絲織產品。這件明代「盤縧四季花卉宋式錦」，是唐、宋幾何骨架內填以自然形的傳統花式基礎上發展而來的。如圖所

織錦是絲織品中最高級的品種。古時把錦字寫成「綅」字，是表示織作費工，其價如金，故字從絲從金或從帛從金。從公元前 8 世紀以來，中國的錦就是先把絲精煉，染好色後，再用來上機織造，這種織法現在稱為「熟織品」，是織造高檔絲織品的工藝方法。古時織錦有以經絲顯現花紋的「經錦」和以緯絲顯現花紋的「緯錦」兩類。「經錦」是早期的品種，一般為平紋變化組織的織品；「緯錦」始於初唐，一般為斜紋變化組織的織品。這件宋式錦的組織，是以「三枚緯向斜紋」顯現花紋，以「三枚經向斜紋」織成地紋。經絲分為一組專織地紋的「地經」和一組專織花緯的「特經」。地經可用「綜」控制提沉運動，特經專由「花本」控制提沉，就能自動織出花紋。這種工藝設計可以提高生產效率，使錦面花紋清晰突出，是明代蘇州絲織技術上的一種進步發展。按花色要求，生產這件宋式錦花紋需配置六把梭子織緯，其中以三把梭織長緯（一般多用來織錦紋的幾何骨架、花卉的枝幹和紋樣

的勾邊線），另外三把梭每織到三至四釐米長的距離之後，就換三把其他色的梭子再織；這樣，實際上是用六把梭子，織出了十六種不同顏色的花紋，而且織物不致過厚。

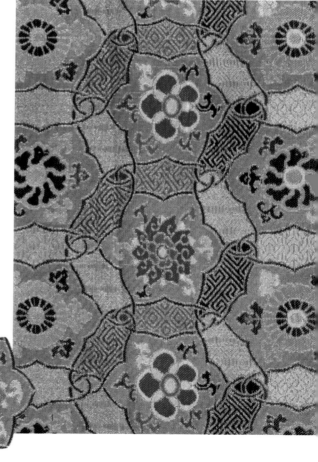

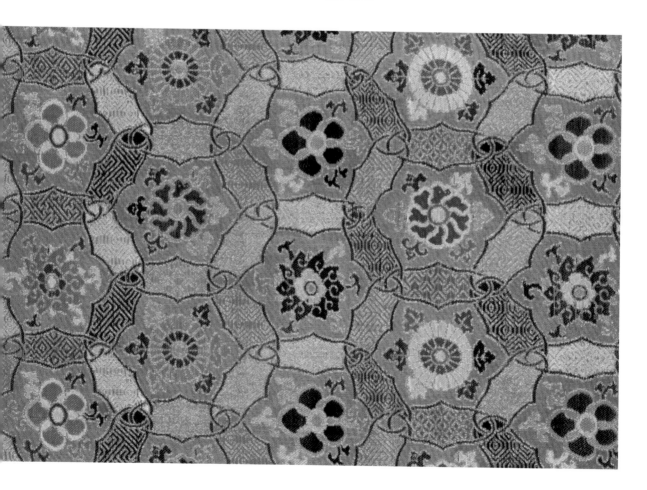

示，錦紋以同心圓斜差作為圖案骨架。同心圓的外圍缺刻成六出形，與相鄰的花紋重疊交切，構成六出形外層的幾何紋裝飾區。區內嵌以連錢、鎖子、龜背、卍字曲水、雙矩、菱格等細小的幾何紋。這些幾何紋都有吉祥的含意，如連錢象徵富裕；鎖子、龜背象徵長命；卍字曲水、雙矩、菱格象徵萬事順利或長命不斷等。它們都是唐、宋以來一直流行的傳統花紋。在各個

同心圓的中心部位，分別填充梅花、水仙、牡丹花等花紋，這也是宋以來流傳的裝飾模式。把不同季節的花卉與抽象化、理想化的幾何紋組合成一個畫面，這種設計構思是非常巧妙的。這件宋式錦花紋的造型簡練規整。色彩在桔黃地子上，配置大紅、墨綠、明黃、石青等色的花紋。色彩處理上採用淡色相間，金線勾邊的方法，即在花紋的邊緣都鑲上一層淡色，外面再勾上金線，以緩衝對比關係，統一主調，達到了富麗和諧的效果。

這分段換色的三把梭子，叫做「短跑梭」，用來織錦面上的主體花紋。使用短跑梭分段換色的配色方法，叫做「活色」。這種工藝在現代化的紡織生產中也一直在繼續使用。

「柿紅盤縧朵花宋錦」花紋完整，色彩和諧，含義吉祥，織工精巧，質地勻細柔軟；適合做服料、被面、幔帳、墊面等，是蘇州生產的明代宋式錦中的代表作。

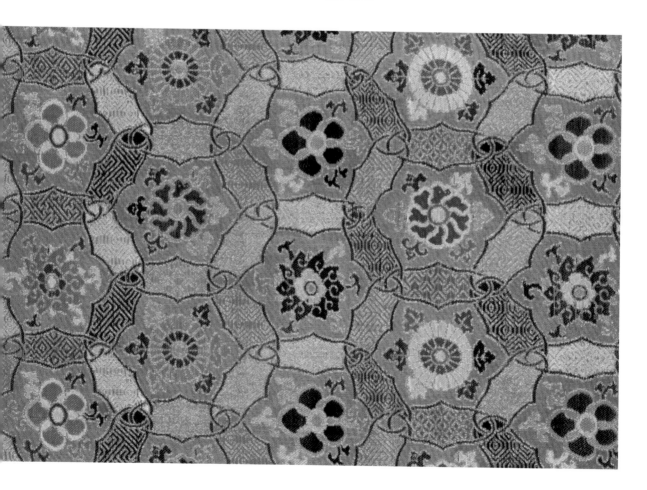

# 097

# 石青地極樂世界織成錦圖軸

清・乾隆（1736—1795）

長448釐米，寬196.3釐米

彩織《石青地極樂世界織成錦圖》軸，是根據佛教經變故事畫用彩色絲織成的。內容出自「西方淨土變」。

敦煌莫高窟的唐代壁畫，不少是以「西方淨土變」為題材的。例如初唐二百二十窟，盛唐一百七十二窟、二百一十七窟，中唐一百一十二窟，晚唐一百五十四窟及

這幅圖的原稿是清乾隆時期畫家丁觀鵬所作。他擅長畫人物山水，功力深厚，具有經營複雜場面構圖的能力。這一幅繼承了唐以來的宗教畫的傳統畫法，把佛教理想中西方佛國的宏偉、莊嚴、繁華、富麗的景象表現得極為得體。

丁觀鵬《無量壽佛圖》

**丁觀鵬** （生卒年不詳），清代順天（今北京）人。畫家，活動於康熙末期至乾隆中期。

榆林千佛洞二十五窟都有「西方淨土變」。該圖以豐富的想像力形象地描繪西方佛國的種種情景。它的構圖與盛唐以來的「西方淨土變」畫一樣，採取以佛祖阿彌陀佛為中心的對稱形。在阿彌陀佛佛像前面稍下的位置，左右各有一菩薩。這一佛兩菩薩，織在畫面中心，顯示畫面的穩定感。

圍繞着一佛兩菩薩，還對稱地織有許多菩薩、天王、金剛、羅漢、比丘和伎樂。在祥雲繚繞、宏大莊嚴的宮殿場景中安排了二百七十八個神態不同的人物，並配有寶池、樹石、奇花異鳥。在畫幅下面，畫的是七寶池、八功德水、荷葉和九朵蓮花。

**阿彌陀佛**
阿彌陀佛又稱無量壽佛，與左脅侍觀世音菩薩和右脅侍大勢至菩薩被稱為「西方三聖」。

彩織《石青地極樂世界織成錦圖》軸，從本幅
到裝池的上下邊和綬帶部分，均為通幅貫梭織成。
全幅用十九種不同顏色的彩色緯絲同時織製。在石
青地上以紅、藍、綠、橙、水紅、香色為主色，形
成青藍基調上的鮮明對比。在對比色相接的地方，
採用淺色相間，墨線勾邊，三層退暈或四層退暈等
方法，外淺內深，逐層過渡，使對比的強度緩和。
退暈色一般取同類色的明度變化。例如以木紅、粉
紅配水紅；以深藍、月白配玉白；以葵黃、香
色配米黃等。再在人物頭部、建
築裝飾等重點部位，用赤金
和黃金兩種捻金線點綴，使
主題更加突出。繁華富麗的
主體紋樣與深邃幽靜的底
色，使世俗的氣息與神移
的幻覺交織，既有現實生

活的縮影，又有精神上所追求的境界。

製作這樣內容複雜、形象豐富、色彩多變、結
構嚴謹的巨幅繪畫性的織成彩錦，工藝技術上的難
度是很大的。這件織成彩錦圖
軸需要有精通畫理的「挑花」工

人挑製「花本」，由「機工」裝配專用織機上的提花裝置，再由「挽花」工人與織工配合製作。織作時又因幅度太寬，不能由織工一人單獨操作，而需幾個工人並排坐着互相傳梭接梭，其技術水平確乎是出類拔萃的。據記載，蘇州在明宣德年間就織造過這類畫軸。《石青地極樂世界織成錦圖》軸從成品特點分析，是清代蘇州織造府管轄下的「高手」和「巧匠」的傑作。

該圖軸在清代原藏養心殿、乾清宮，並鈐有「乾清宮鑑藏寶」「五福五代堂古稀天子寶」「八徵耄念之寶」等八璽。見《秘殿珠林續編》著錄。舉世僅此一幅。

## 098 緙絲加繡九陽消寒圖軸

清・乾隆（1736 — 1795）

高 213 釐米，寬 119 釐米

《緙絲加繡九陽消寒圖》軸，是清代宮中新正前後懸掛的裝飾圖軸。按中國曆法，從冬至第二天起算，歷八十一天稱為「九九」，是一年中的寒冷時節。這幅《緙絲加繡九陽消寒圖》軸，用九隻羊隱喻「九陽消寒」，三個男童隱喻「三陽開泰」，再以青松、梅花、茶花、月季表示臘盡春回的景象。圖軸

春日載陽的意境。運色方法，主要是按塊面平塗，並以由深到淺四個色階層次的四暈過渡等便於緙絲工藝製作的手法。又在花朵部分用蘇繡傳統的「套針」和「搶針」繡出暈染效果。在幾處樹幹上，採用緙絲加繪或刺繡加繪的辦法，描畫出樹皮的質感。在地面路石的邊界上，用八道彩色的暈條作為包邊線，使畫面呈現出富麗的裝飾效果。

這幅圖軸在工藝製作上綜合運用了緙絲、刺繡和局部加繪等手段。大面積的天空、彩雲、地石、水池和一些花葉、小草運用了「平緙」「勾緙」「結緙」等緙絲方法。人物、羊、花朵、松針採用了「套針」「搶針」「施毛針」「齊針」「釘線」「釘金」「網繡」「扎針」「打子」「松針」等多種繡法，其中以套針和搶針為主。蘇繡

這幅圖軸的底色和襯景是緙絲。主景人物、動物是緙絲上加繡的。圖軸上半幅以深藍色作天空，襯托出五彩祥雲和青松、梅樹、山石。下半幅以淺秋香色作路石表面和水面，襯托出羊、男童和花樹。上半幅蔚藍的天空和下半幅明朗的地面色彩相映，顯現出

裝潢玉池中乾隆御書七言律詩：「九羊意寓九陽乎？因有消寒數九圖；子半回春心可見，男三開泰義猶符。宋時期作真稱巧，蘇匠仿為了弗殊。慢說今人不如古，以云返樸卻慚吾。」

的針法很多，其基本原理都是順着花紋形體的結構，變化用針，使絲理排列的方向、疏密、長短、曲直、聚散等都用來充分表現物像的真實感，這是蘇州刺繡的傳統特點。而這件圖軸上的梅樹、茶樹、松樹的樹幹則在緙絲或刺繡的地上以墨筆加染，將三種方法綜合運用製作大件織繡工藝珍品是清代織繡工匠的新創。

　　本幅見《石渠寶笈三編》著錄，原藏寧壽宮。鈐「三希堂精鑑璽」「宜子孫」「嘉慶御覽之寶」「嘉慶鑑賞」「石渠寶笈三編」諸璽。玉池款署「辛丑嘉平御題」，鈐「古稀天子之寶」「猶日孜孜」二璽。「辛丑嘉平」為乾隆四十六年（1781）十二月

# 孔雀羽穿珠彩繡雲龍吉服袍

099

清（1616—1911）

身長143釐米，兩通袖長216釐米，
下擺寬124釐米，袖口寬18釐米

這件夾袍款式為圓領、右衽、大襟、馬蹄袖、左右開裾直身袍。以藍色緞作面料，全身以孔雀羽線、米珠、珊瑚珠、捻金線、捻銀線、龍抱柱線、五彩絨絲等高貴原料繡成花紋。花紋分佈嚴密有序：在前胸和後背及兩肩各繡正龍一；前後襟繡行龍四；底襟繡行龍一，共繡龍九。

龍是封建皇族專用的服飾紋樣，九是最大的極數，都是皇族最高地位的象徵。對照清代宮廷中帝王冠服格式所規定，此袍應為「吉服」。古人繪龍要畫出「三亭九似」。所謂三亭，即脖亭、尾亭、腰亭，這三個地方要畫得稍細，有曲折變化；所謂九似，即角似鹿、頭似駝、眼似鬼、項似蛇、腹似蜃、鱗似魚、爪似鷹、掌似虎、耳似牛。

　　九條大龍是這件夾袍的主要裝飾。此外在兩袖頭繡小正龍各一，領袖小正龍二，行龍四。圍繞着龍紋，間以各種吉祥含義的副裝飾紋。如五色彩雲、蝙蝠，寓意洪福齊天等。八種佛教的法器，輪、螺、傘、蓋、花、罐、魚、腸，通稱八吉祥。八仙所持八件器物，漁鼓、寶劍、花籃、扇、笛、荷花、葫蘆、笏板。以漁鼓代表張果老，寶劍代表呂洞賓，花籃代表藍采和，扇代表鍾離權，笛代表韓湘子，荷花代表何仙姑，葫蘆代表李鐵拐，板代表曹國舅，這

八樣器物合稱暗八仙。折枝桃、石榴和佛手寓意長壽、多子、多福，合稱三多。折枝竹、靈芝與仙鶴，寓意靈仙祝壽。

在前後襟下幅部位，繡有平列式的潮水和直立式的水紋以及壽山紋，寓意壽山福海。中間散織象徵財富的金錠、銀錠、珍珠、犀角、如意、方勝、珊瑚、金錢，合稱雜寶。另有折枝荷花、蝙蝠等。這些裝飾花紋中的龍、鶴、蝠都是用米珠、珊瑚珠串聯釘繡全身的，並以狀如串米珠的「龍抱柱線」繡製龍的腹、鰭、角、口、尾，以捻金線和捻銀線繡製龍髯；以各色彩絨繡製其他花紋；再以孔雀翎羽和絲線捻合而成的孔雀羽線盤釘所有花紋空隙的地方，形成以翠綠為主調，五彩繽紛、豪華富麗而具有高貴質感美的色澤效果。

這件夾袍，按制度雖是親王穿用的五爪蟒袍，比起皇帝正規服用的十二章九龍紋的「吉服」袍，在技術加工上更為獨出心裁。

夾袍在工藝技術上繼承了中國傳統刺繡成就的高度。孔雀羽

# 四畫

王世襄　226

王安石　101

王昭君　150

王屋山　077

王珣　VIII, 032, 038

王原祁　161, 170

王致誠　177

王時敏　158, 161, 170

王國琛　267

王雲　036

王斌　225

王翬　032, 161, 170

王詵　031, 100

王蒙　031, 132, 136, 162

王齊翰　029

王漁洋　233

王維　063, 072, 137

王羲之　038, 045,

王獻之　IX, 038

王鐸　162

王鑑　158, 161, 170

天干　214

天下樂錦　273

天啓　074

天祿琳琅　VI

天龍古院　163

元內府　074

元世祖忽必烈　130

元四家　030, 132, 134

元祐黨　101

元豐　048, 052, 090, 101

元　IX, 031, 035, 074, 084, 121, 130, 132, 134, 136, 141, 147, 159, 160, 170, 187, 194, 196, 203, 207, 224, 228, 230, 232, 237, 240, 242, 249, 273, 280, 282, 283, 284

扎針　292, 298

木胎海棠式盆翠竹盆景　260

木理紋開光粉彩　213

五牛圖　VIII, 029, 072

五代　VIII, 029, 063, 076, 082, 084, 088, 131, 186, 194, 209

五枚緞　273

五彩加金鷺蓮紋尊　188, 206

五彩絨絲　294

五彩蝴蝶紋瓶　208

五彩鏤空雲鳳紋瓶　187, 202

五彩　186, 200, 202, 206, 208

五福五代堂　291

五聯罐　191

太子書房　074

太子率更令　042

太白山圖　137

太常博士　042, 076

太學　VIII

尤通　224, 248

尤犀杯　249

友尊，參考「九象尊」　012

巨然　029, 030, 084, 137, 141

巨壑丹岩圖　166

牙作　X, 224, 253, 261

瓦形紋　012

瓦紋　012

少府監　224

日本　019, 034, 197, 224, 247, 279

中平　037

中台察院揉　133

中秋帖　X, 038

中書舍人　076

中國白　205

中景高遠法　161

內務府大臣　176

內務府員外郎　261

水竹居圖　135

水波紋　206

水圖　031, 112

水滸葉子　157

水墨山水畫　072, 101, 132, 135, 137, 146

水墨畫　029, 031, 133, 142, 161

水墨寫意花鳥畫　164

牛毛皴　137

升庵簪花圖　156

片金　273

片銀　273

仇英　031, 059, 146, 150

化度寺碑　043

父乙　016

分襠斝的型式示意圖　014

分襠斝　015

分鑄法　009

丹山瀛海圖　137

勾花點葉派　181

勾斫皴染　029

勾連雲紋　024

勾皴　101

勾緤　292

勾　062, 066, 085, 131

六幺舞　077

六出形　287

六如居士，參考「唐寅」　148

六研齋筆記　074

六朝　028, 043, 055, 059, 186

六鶴殿　089

文人山水畫　031, 160

文人畫　031, 132, 134, 141,
　146, 183

文成公主　065

文同　031

文思院　224

文節先生　050

文徵明　031, 140, 146, 148,
　151, 180

方座簋　007

方斝　015

方尊　004, 008

方罍　010

尹繼昭　082

巴澤雷克　272

孔子　019

孔克表　74

孔雀羽穿珠彩繡雲龍吉服袍
　XI, 294

孔雀羽線　273, 274, 294, 296

孔雀羽織金妝花緞　273

孔雀綠　187

允祥　225

**五畫**

玉作　X, 225, 261, 262

玉壺春　208

打子針　283, 298

打擊樂器　019

正德孔雀綠　187

正德素三彩　203

世鈺　074

古月軒　210

古物陳列所　VI

古彩　208

古稀天子之寶　293

古銅彩犧耳尊　216

石青地極樂世界織成錦圖
　288

石渠隨筆　096

石渠寶笈　IX, X, 173, 254

石渠寶笈初編　050, 101

石渠寶笈三編　045, 293

石渠寶笈續編　074, 096

石鼓文　034, 035

石鼓　VIII, 034

石器時代　224

石濤　032, 160, 162, 166

平生壯觀　045

平列構圖佈局法　058

平金繡　273, 274

平紋木機　279

平脫薄螺鈿法　243

平遠兩段式　135

平遠法　085

平緤　279, 292

北宋內府　038

北宋，參考「宋」　008, 030, 031,
　034, 038, 042, 045, 048, 050, 052,
　061, 090, 095, 100, 102, 149, 180,
　186, 194, 276, 279

北周　060

北宗　028, 170

北齊　060

北魏　059, 192, 204

目形紋　004, 006

田車　034

冊方斝　014

四大名繡　274, 298

四王吳惲　170

四王　160, 161

四耳簋　006

四足方鼎　020

四足斝　015

四明范氏天一閣　034

四庫全書　VI

四象觚　012

四僧　160

仕女畫　068

代盤鼎　021

仙椅　240

仙源圖　162

白木御椅子　240

白石老人　152

白地繪彩　213

白砂胎　225

白瓷　186, 188, 194, 205, 212, 225

白描　095, 151

白釉划花　186

白釉剔花　186

白釉釉下黑彩　186

皇家畫院　030

後漢書　118

風車針　298

施天章　261

施毛針　292

美國　012

洪武紅彩　203

洪武　136

洞庭風細　112

洗馬圖　284

活色　287

洛神賦圖　054

洛神賦　054

洛神　054

宣和內府　Ⅵ, 042, 061, 096, 101

宣和書譜　Ⅵ, Ⅷ, 038, 042

宣和博古圖錄　Ⅵ, 019

宣和畫譜　Ⅵ, Ⅷ, 082, 101

宣和　Ⅵ, 102

宣德青花紅彩　203

宣德釉裏紅　187

宣德寶石紅　187

宣德　Ⅺ, 200, 203, 224, 228, 231, 236, 238, 291

穿珠繡　274

冠架　264

扁足圓鼎　020

祝允明　148

韋偃　029, 094, 131

韋應物　034

孩兒枕，參考「定窯孩兒枕」 186, 194

姤戊大方鼎　020

姚宗江　225

姚漢文　225

飛白　044

飛泉琴　227

飛檐斗拱　004

紅樓夢　297

紅線毯　273

十畫

秦公鎛　019

秦府十八學士圖　064

秦始皇　192

秦獻公　034

秦　034, 036

鬥彩葡萄紋高足杯　187, 200

鬥彩　188, 200, 201, 203, 218

班惟志　133

班禪　210

素三彩　188, 203

馬一角　113

馬家窯文化　002

馬遠　031, 112, 138

馬衡　226

馬薦　034

荊浩　029, 030, 082, 084, 135

起絨錦　273

草書　045, 051, 073, 133, 153

茶葉末　188, 216

茶經　186, 198

桂馥　036

桐蔭仕女玉山　258

桃潭浴鴨圖　182

格古要論　237

哥窯　218

鬲鼎　020

鬲　002, 004, 020

豇豆紅　188

夏山高隱圖　137

夏山圖　085

夏日山居圖　136

夏圭　030, 112, 138

夏景山口待渡圖　085

破墨　133

破　131

原始社會　189

套針　292

晉　Ⅷ, 028, 038, 050, 052, 054, 058, 060, 062, 072, 131, 250

畢沅　Ⅸ

閃緞　273

剔紅梔子花紋圓盤　228

剔紅觀瀑圖八方盤　230

剔紅　224, 230

哨鹿圖　174

特經　286

盉　002, 022, 025

秘殿珠林　Ⅵ, Ⅷ, Ⅸ, 280, 291

倪迂　134

倪秉南　225

倪瓚　030, 132, 134, 160

烏金釉　188

師趛鬲　004, 020

徐同正　225

徐浩 048
徐崇嗣 180
徐渭 032, 152, 164
徐禎卿 148
徐熙野逸 029
徐熙 029, 089
殷墟 012
釘金 292, 297
釘線繡 274
翁同龢 036
胭脂水 188, 265
凌煙閣功臣圖 064
高士奇 IX, 233
高士圖 029, 082
高江村集 201
高江村 233
高足杯 200
高益 121
高浮雕 003, 250, 253
郭子儀 071
郭思 91
郭紹高 036
郭熙 090
唐八臣瓢 247
唐三彩 186
唐太宗李世民 066
唐宋八大家 048
唐明皇 226
唐英 216, 225
唐寅 031, 146, 148
唐窯 216
唐蘭 011
唐 029, 034, 038, 042, 044, 048, 050, 061, 064, 068, 072, 094, 131, 186, 192, 194, 224, 226, 228, 233, 242, 273, 276, 279, 286, 288, 298
瓷胎琺瑯彩稚雞牡丹碗 210
瓷胎畫琺瑯 210, 212
瓷胎 225
瓷國 186
瓷器 186, 190, 192, 194, 196, 198, 200, 202, 206, 208, 210, 212, 214, 216, 225, 236
粉彩牡丹紋盤口瓶 212
粉彩描金 213
粉彩 186, 208, 212, 214
剡溪訪戴圖 133
浙派 139, 140
酒器 002, 008, 012, 015, 022, 232
海望 225, 261
浴馬圖 131
流雲紋 244
悔遲，參考「陳洪綬」 156
宮廷畫家 029, 031, 259
宰相 049, 064, 073, 078, 101
書畫記 038
書畫學博士 052
書斷 034
展子虔遊春圖 061
展子虔 028, 060
陸士 036
陸羽 186
陸探微 060
陳宜嘉 225
陳風·澤陂 207
陳洪綬 031, 156
陳眉公 233
陳致雍 076
陳淳 031, 032, 141, 153, 164, 180
陳慥 048
陳寶琛 036
孫叔敖 058
孫承澤 082, 096
孫無言 160
孫遇 089
陶人心語 216
陶成紀事 216
陶成圖畫卷 216
陶冶圖說 216
陶南村 233
陶瓷 186, 190, 203
陶庵圖 160
陶雅 209
陶斝 015
陶觚 012
陶簋 006
納石失 273

## 十一畫

球路紋 276
球路雙鳥紋錦夾袍 276
琉球 224
描金 101, 213, 218, 244
掐絲琺瑯纏枝蓮觚 238

華嵒　033, 182

堆繡　274

捻金線　273, 274, 290, 294, 296

捻銀線　273, 294, 296

教坊副使　076

掐絲琺瑯纏枝蓮紋碗　236

掐絲琺瑯器　224

捽　133, 147

捲枝忍冬紋　198

捲雲紋　244

捲雲皴法　090

勒針　298

勒線　298

乾清宮　291

乾隆，參考「清高宗弘曆」 032, 038, 042, 173, 176, 183, 188, 206, 210, 216, 218, 225, 229, 236, 246, 250, 252, 258, 262, 264, 266, 268, 273, 288, 292

乾隆御覽之寶　280

乾隆鑑賞　280

梧竹秀石圖　135

梅花古衲　160

梅瓶　208

軟彩　213

軟螺鈿　243, 245

連珠紋　012, 276

曹昭　237

曹植　054, 055, 057

曹霸　029, 072, 094, 095

逗彩　188, 201

匏制蒜頭瓶　246

常州派　181

異國來朝圖　064

蛇皮綠　216

累絲作　261

國子監　VIII

國子學　035

崇禎　156, 273, 284

圈足盉　022

笪重光　170

側鋒皴　144

斜方格乳釘紋　006

彩瓷　187, 188, 200, 202, 203, 206, 208, 212, 216, 218

彩陶　002

彩織　276, 288

彩繪　186, 202, 203, 212, 218

脫胎填白瓷器　225

脫胎　188, 210

魚子紋　209, 218

象牙白　205

象牙雕漁樂圖筆筒　224, 249, 252

象紋觚　012

象紋　013

象尊　013

祭器　002, 012, 020

康熙五彩　206, 209

康熙南巡圖　170

康熙　164, 170, 174, 176, 188, 206, 208, 210, 212, 236, 246, 249, 250, 264

商斝　014

商　003, 006, 008, 010, 012, 014, 016, 272

粗腰體矮型　012

清內府　VIII, 042, 052, 096, 101, 173

清明上河圖　IX, 102

清河書畫舫　074

清室善後委員會　VI, 226

清高宗弘曆（乾隆）　074, 096

清漪園　IX

清　VI, 032, 160, 162, 164, 166, 170, 174, 180, 182, 187, 206, 208, 210, 212, 214, 216, 218, 224, 229, 236, 244, 246, 248, 250, 252, 254, 258, 260, 262, 264, 266, 268, 273, 288, 292, 294, 298

淡綠地　213

深遠法　093, 100, 132

梁清標　IX, 032, 045, 096

梁鴻　082

梁　029, 030, 060, 204

密勒塔山　254

密體　054

張成　224, 228, 231

張旭　073

張君光　225

張庚　163

張居正　IX

張彥遠　061, 062

張飛　138

張象賢　225

張琦　225

張萱　028, 068, 072

張僧繇　060

張維奇　225
張德剛　224
張德紹　225
張擇端　IX, 031, 102
張翰帖　042
張翰　042
張遷　036
張懷瓘　034
張騫　233, 272
張靈　148
隋　028, 042, 060, 186, 195
隆慶　IX
婦好墓　002, 015
通幅貫梭　290
通經斷緯　279
細浪漂漂　112
細腰體高型　012
紹聖　050
紹興內府　096

## 十二畫

琺瑯作　223, 236, 264
琺瑯彩瓷器　210, 225
琺瑯彩雉雞牡丹紋碗　188, 210
琺瑯彩　186, 188, 212, 214, 218
琺瑯塔　236
項元汴　032, 052, 074, 150
項聖謨　032, 158
越窯　190
越　019
菩提達摩　204
提花樓子　278
提樑　022
揚州八怪　032
博物要覽　198
搜山圖　120
報恩寺　163
揮扇仕女圖　029, 068
斯德哥爾摩　012
黃山畫派　160
黃公望　030, 132, 133, 140
黃地粉彩鏤空干支字象耳轉心瓶　214
黃河逆流　112
黃庭堅　044, 050, 100, 141
黃振效　224, 252
黃家富貴　029, 089
黃筌　029, 088
黃楊木雕東山報捷圖筆筒　224, 249, 250
黃羅珠蹙椅子　240
散點透視法　109
朝鮮族　194
棒槌瓶　208
棲霞寺　163
惠孝同　101
粟紋　022
硬彩　208
硬螺鈿　243
雲生滄海　112
雲岡石窟　192
雲南省博物館　133
雲紋　006
雲舒浪卷　112
紫芝山房圖　135
紫砂胎　225
紫砂器　187
紫禁城　232
紫檀木　240, 266
紫檀荷式大椅　240
鼎升　021
鼎　009, 021, 238
開片　218
開光主體紋飾　196
開光　196, 203, 213, 214, 231
開派　100
景泰藍　201, 224, 237, 238
景泰　201, 224, 237, 238
景德鎮窯青花釉裏紅鏤雕蓋罐　196
景德鎮　X, 187, 196, 202, 208, 210, 213, 216, 218
斝　002, 014
嵌螺鈿廣寒宮圖形殘器　243
黑彩　188, 189, 206, 209
黑漆嵌螺鈿間描金職貢圖長方盒　243, 244
黑漆嵌螺鈿雲龍紋大案　224, 242
無耳簋　006
無足盉　022
短跑梭　287
程正揆　162
傅恆　176
順治　158, 160, 163

集古錄 034
焦點透視法 174
御用監 224, 242
御畫院藝學 090
舒文 255
舒雅 077
鈞窯 186, 218
鈕鐘 018
釉下青花 188, 201, 206
釉下彩 186, 196, 202, 218
釉上彩 186, 188, 200, 206, 212, 218
釉上藍彩 202, 206
釉裏紅 186, 196
猴形鈕 022
猶日孜孜 293
觚 002, 012, 239
鄒文玉 225
鄒學文 225
馮保 IX
敦煌（莫高窟） 192, 288
尊 002, 008, 010, 012, 206, 216
曾侯編鐘 018
湖光瀲灩 112
湘繡 274, 275
湯振基 225
惲壽平 032, 170, 180
惲體 180
寒塘清淺 112
富春山居圖 140
扉棱 004, 008, 010, 019
祿東贊 065
畫山水訣 133
畫院待詔 102, 113
畫琺瑯花鳥紋瓶 264
畫聖 029, 170
畫像石（磚） 003, 059
畫繡 284
犀利刻花 187
犀角槎杯 248
賀金昆 225
皴法 082, 121, 135, 136, 149, 173
皴擦烘點 096
皴 062, 085, 131, 133, 147, 244
絨圈形浮雕狀花紋 273
結緙 292
絞胎 186
絲綢之國 272
絲綢之路 272, 276
絲綢地鳳鳥穿花紋刺繡鞍褥面紋 272
絲綢刺繡 272
幾何紋 003, 006, 287
幾何連錢紋 276

## 十三畫

瑞典 272
髹飾 032, 162, 163
填彩 200, 279
萬曆五彩 187, 202, 206
萬曆 IX, 155, 187, 198, 201, 202, 224, 229, 231, 238, 242, 297
葛稚川移居圖 137
董其昌 038, 085, 142, 158, 162, 165, 170, 284
董源 IX, 029, 084, 135, 137, 141
鼓花（半浮雕） 020
搶針 292, 298
酰亞方尊 008, 010
酰亞方罍 010
達摩宗 204
達摩 204
達賴 210
夢奠帖 043
楚 019, 028, 058, 233, 272
楷書 042, 045, 049, 050
楊茂 229, 230
楊慎 156
楊凝式 048, 050
楞枷經 204
榆林千佛洞 289
賈文運 225
賈似道 045, 096
賈銓 255
碑帖 VI
碗 007, 194, 198, 201, 209, 210, 236, 246, 259
雷紋 006, 272
盞 198, 237
虞山派 170
虞世南 034, 042
虞恭公溫彥博碑 043
虞集 232

暗花緞　273, 282

蜀繡　274

圓明園　201

圓柱形尊　012

圓圈紋　012, 013

圓渦紋　019

圓鼎　020

粵繡　274

鉦　018

鉢　191

鉛釉陶器　186

詹景鳳　063

解索皴　137

詩送四十九姪帖　050

詩經　207

新石器時代　002, 003, 013, 272

新安畫派　160

新歲展慶帖　048

意大利　174

遊春圖，參考展子虔遊春圖 028, 060

雍正粉彩　212

雍正　X, 188, 201, 206, 210, 212, 216, 225, 261, 264

煙江疊嶂圖　101

溥儀　VI, 038, 052, 085, 101, 226

窠石平遠圖　030, 090

遍地金妝花緞　273

經筵講　156

經錦　273, 276, 286

## 十四畫

碧玉仿古觥　262

碧璽　262, 269

蓮瓣紋　186

趙伯昂　074

趙佶，參考「宋徽宗趙佶」 060

趙孟頫　031, 074, 130, 132, 137

趙擴，參考「寧宗」　113

趙縱　071

遠東古物博物館　272

嘉定派　224, 225, 250, 253

嘉靖　156, 200, 203, 206, 228, 231, 238, 267, 285

嘉慶　VI, 173, 176

摺帶皴　161

暮江五馬圖　131

熙寧　090

構絈　279, 280

磁山文化　188

磁州窯　186, 203

臧窯　216

臧應選　216

裴休　158

裴李崗文化　188

裴寬　131

圖明阿　255

圖騰　003

管平湖　226

鼻煙壺　264

銅胎畫琺瑯　264

銅胎　201, 225, 264

銅鬲　020

銅盉　024

銅斝　009, 015

銅觚　012, 237

銅尊　008, 216

銅鉞　272

銅簋　006

銘文　003, 010, 012, 015, 016, 020, 226

銀匜　233

銀交椅　240

銀槎　232

鳳尾尊　206, 208

鳳翔府學　035

廣肩型尊　009

廣繡　274, 298

端凝殿　210

齊針　292, 297, 298

養心殿造辦處　X, 224, 225, 236, 253, 261, 262, 264

養心殿　038, 226

鄭竹友　053

鄭珉中　227

鄭餘慶　VIII

漢　003, 011, 036, 038, 057, 058, 094, 186, 191, 224, 234, 266, 273, 279

漆畫　059

漆器　189, 224, 228, 242

漸江上人　160

漁村小雪圖　100

漁莊秋霽圖　135

滾針　297, 298

滲碎針　298

寧宗（趙擴）　113

寧壽宮　VII, X, 255, 293

寧壽鑑古　VI, VII

劃花　186, 194

鄧八格　225

鄧曼　058

網繡　274, 292

綴織　279

綠松石　003, 266

綠蔭長話圖　146


# 十五畫

慧可　204

蔡京　035, 044

蔡襄　044, 048

蔣均德　225

蓼汀魚藻圖　180

鏨　009, 010, 015

歐洲　174, 205, 272

歐陽修　034

歐陽炯　089

歐陽詢　034, 042, 052

歐體　043

醉佛林錦　277

醉花陰　195

豬油白　205

墨地　213

墨花九段圖　152

墨緣匯觀　IX, 038, 042


稽古閣　035

篆書　034, 036, 052, 203

篆籀　131, 133

樂府雜錄　118

樂器　002, 018, 192

德化窯白釉達摩像　204

德化窯　200

德明　078

衛賢　029, 082

衛靈公　058

盤縧紋　286

盤　022, 194, 209, 228, 230, 237, 238, 246, 264

鋪針　298

鋪絨繡　274

鋪翠　297

滕昌祐　089

魯山窯花瓷腰鼓　192

魯山窯　195

魯繡芙蓉雙鴨圖軸　282

魯繡　273, 283

劉廷琛　036

劉向　058

劉伶　233

劉松年　031, 112, 121, 139

劉備　138

劉源　216

諸城　102

諸葛亮　138

論語　118

熟坑　016, 020

熟織品　286

瘞鶴銘　050


羯鼓錄　193

審點　062

窯變　186, 218

層波疊浪　112

緙絲加繡　292

緙絲加繡九陽消寒圖　XI, 292

緙絲青碧山水圖軸　278

緙絲東方朔偷桃圖　280

緙絲組織繪製圖　279

緙絲織機繪製圖　278

緙絲　273, 278, 280, 282, 292

緙織　279, 280

緝線繡　273

線描　028, 057, 073, 079, 130

編鎛　019

編鐃　019

編鐘　018

緯絲起斜紋花　273

緯錦　276, 286


# 十六畫

蕉葉形夔紋　015

蕉葉紋　013, 202

翰林待詔直長　90

翰林院修撰　156

翰林圖畫院　029

翰林學士　089

翰林　VI

輻射式　050

歷代帝王圖像　156

盧映之　267

盧眉娘　298

曉日烘山　112

閻立本　029, 064, 072, 277

螭形　025

螭樑盉　022

戰國，參考「春秋戰國」　003, 004,
　019, 021, 022, 028, 190, 216, 233,
　272

衡方碑　036

錯金銀銅尊　216

錢紋　203, 276

雕漆　225, 228, 236, 240

鮑友信　225

獨柱鼎　020

龍抱柱線　294, 296

龍泉窯　215

龍紋　016, 242, 294, 297

龍槎　232

龍鳳紋　003

禪宗　204

禪椅　240


## 十七畫

薛稷　043, 089

薄螺鈿　243, 244

蕭山　036

戴恆　225

戴進　031, 138

戴嵩　072

戴臨　225

擦　131, 133, 135

韓希孟　273, 284


韓媛繡　285

韓幹　029, 071, 072, 94

韓愈　VIII, 034

韓滉　VIII, 029, 072

韓熙載夜宴圖　VIII, 029, 076, 240

韓熙載　076

隸書　036

檀香椅子　240

臨韋偃牧放圖　094

壓手杯　187, 198

霝雨　034

螺青烘染　101

螺鈿　242, 244, 266

點子皴　029, 085

點　085, 133, 137, 147, 181

魏晉　036, 062

簋　002, 006, 016

鍾繇　045

鮮于璜碑　036

謝安　250

濮澄　250

禮部員外郎　052

禮器　002, 018

避暑山莊　176, 236

總管內務府大臣　176

繆氏　285


## 十八畫

豐澤園　246

藍瑛　156, 158

攛和針　283, 284, 298

職貢圖　244


轉心瓶結構示意圖　215

轉心瓶　214

轉心　188

轉頸　188

題密勒塔山玉大禹治水圖　254

蟠虺紋鎛　019

蟠螭　024

鵝絨白　205

雙耳簋　006, 016

雙面繡　274

雙鳳紋罐　203

鎛　002, 018

雞心鈕　215

雞心槽　215

顏真卿　045, 048, 050

雜活作　261

離垢集　183

醬地　213

戳紗繡　274

彝　VI

織金妝花錦　273

織金緞　273

織金錦　273

織錦　272, 273, 277, 278, 286

織繡　VI, 236, 265, 272, 274


## 十九畫

贈周伯昂溪山圖　135

關山行旅圖　085

關仝　029, 082, 085, 135

關羽　138

嚴嵩　IX

獸面紋　003, 006, 010, 013, 015, 016, 019
贊普　065
籀文　034
邊鸞　073
鏤空套瓶　215
鏤空轉心瓶，「粉彩鏤空轉心瓶」　214
鏤雕　187, 196, 202, 215, 263
蟹甲青　188
蟹殼青　216
瀟湘圖　029, 084
瀛山圖　101

二十畫

蘇州織造府　291
蘇勗　034
蘇軾　031, 034, 045, 048, 050, 095, 100
蘇繡　274, 285, 292, 297, 298
耀瓷　187
鐘、鎛各部名稱示意圖　032
鐘　018, 019
釋迦牟尼　205
辮子股針　283, 298
辮子股　298
懷素　051
寶光　205
寶熙　036
寶繪堂　101

二十一畫

露香園繡　285
露香園顧繡　285
露香園　273, 285
罍　002, 011, 239
蠟纈　273
鐵梗線　298
鐵線描　066, 079, 121
夔紋　010, 015
夔龍紋　010, 020
夔龍獸面紋　010
顧氏露香園繡　285
顧名世　285
顧閎中　VIII, 029, 076, 240
顧匯海　285
顧愷之　028, 033, 054, 058, 060, 073, 077
顧壽潛　284
顧繡莊　285
顧繡　273, 274, 284
顧觀光　225
纏枝花　197, 218
纏針　283

二十二畫

霽紅　188
霽藍　188, 218
饕餮紋觥　262
饕餮紋　262

鷓鴣斑　198
灑插針　298
灑線繡　273
灑藍　188

二十三畫

罐　191, 196
鱔魚黃　216
竊曲紋　006

二十四畫

觀音瓶　208
靈帝　037
鱗紋　013, 024

二十七畫

鑾車　034

# 後記

《國寶》是 1983 年 2 月由故宮博物院與商務印書館香港分館商定編印的。畫冊內的文物都是故宮博物院所藏的精品。

本書主編由北京歷史學會理事、故宮博物院研究員朱家溍先生擔任。院出版工作委員會副主任、《故宮博物院院刊》及《紫禁城》雙月刊總編輯劉北汜先生和出版工作委員會副主任兼院辦公室主任吳空先生協助主編工作，設計成書。研究室唐復年、楊臣彬、楊新、李毅華先生和陳娟娟女士參加編寫。胡錘先生攝製照片。周蘇琴女士組織拍攝文物和蒐集資料工作。故宮博物院研究室、陳列部、保管部和群眾工作部的一些同志也分擔了部分工作。